Serie Bianca  Feltrinelli

CATERINA SOFFICI
ITALIA YES
ITALIA NO

CHE COSA CAPISCI DEL NOSTRO
PAESE QUANDO VAI A VIVERE A LONDRA

© Giangiacomo Feltrinelli Editore Milano
Published by arrangement with Marco Vigevani Agenzia Letteraria
Prima edizione in "Serie Bianca" febbraio 2014

Stampa  Grafica Veneta S.p.A. di Trebaseleghe - PD

ISBN 978-88-07-17272-4

FSC
www.fsc.org
MISTO
Carta
da fonti gestite in
maniera responsabile
FSC® C021883

Per la citazione di Luigi Barzini tratta da *Gli italiani. Virtù e vizi
di un popolo*: © by Luigi Barzini 1964; © 1997 RCS Libri S.p.A., Milano

www.feltrinellieditore.it
Libri in uscita, interviste, reading,
commenti e percorsi di lettura.
Aggiornamenti quotidiani

razzismobruttastoria.net

A Jacopo e Lorenzo

Introduzione

Che ci faccio qui?
Me lo chiedo spesso. Quando piove tutto il giorno (spesso). Quando fa buio alle tre del pomeriggio (tutto l'inverno). Quando faccio la spesa, di fronte a pomodori tristi e arance smunte (sempre). Quando mangio un'insalata e ha il sapore di una patata. Quando dalle nuvole esce finalmente il sole, e forse l'hanno spento, perché è così pallido. Quando ad aprile inizi ad aspettare, ma l'estate non arriva mai. Quando poi arriva, ma dopo quindici giorni le devi già dire addio.
Certe mattine, specialmente in primavera, ti prende un groppo allo stomaco. Quel groppo ho imparato a riconoscerlo: è la nostalgia. Sei seduto in metropolitana, con tutti questi inglesi educati e silenziosi, immersi nelle loro letture, e ti chiedi: che ci faccio qui?
Non dovrei essere a casa, in Italia? Ora uscirei in bicicletta, respirerei l'aria frizzantina della primavera. Guarderei le prime rondini arrivare, uguali a quelle che disegnavamo a scuola. Saluterei il barista, mi prenderei un buon cappuccino e una brioche fresca appena sfornata, passerei davanti al fornaio e cercherei di resistere all'aroma di pane e di focaccia. Già pregusterei le prime fughe al mare. Uno scoglio, una spiaggia, l'acqua ancora gelata: il mare, ragazzi. E non un mare

qualsiasi, è il Mediterraneo, il Mare Nostrum, il nostro mare da secoli. La frutta, gli odori, il caldo. Il prosciutto con i fichi. Il pecorino con le pere. Mi guarderei intorno e sarei nel paese più bello del mondo.

Invece sono a Londra, con tutta la famiglia. Perché ce ne siamo venuti via?

Perché a Londra si vive peggio, ma si sta meglio. Sembra un controsenso, ma chi avrà voglia di leggere queste pagine capirà.

Capirà che arriva un momento in cui l'Italia diventa un paese che non si può smettere di amare, ma dal quale ci si deve difendere.

Noi italiani siamo da sempre un popolo di emigranti, dove sta la novità?

Nello scrivere questo libro ho cercato di trovare una risposta alla domanda: perché così tanti se ne vanno dall'Italia, proprio ora?

Sarebbe bello fosse colpa della crisi. La crisi ha la sua parte. Ma non è solo questo, purtroppo. E dico purtroppo perché le crisi prima o poi passano. Mentre la devastazione, civile e culturale, che ci lasciamo alle spalle è una voragine che sembra senza fine.

Sarebbe bello fosse colpa di Berlusconi. Ci piaceva pensarlo: quando finirà il ventennio di Silvio, tutto cambierà. Pia illusione. Non ci sarà niente di salvifico e catartico nella fine del berlusconismo.

Sarebbe bello fossimo diventati un popolo multiculturale e internazionale. Ci spostiamo perché siamo diventati cittadini del mondo. Qualcuno forse. Ma per la maggior parte non è così.

Chi lascia l'Italia lo fa perché non ne può più. Perché c'è un momento in cui il piatto della bilancia comincia a pendere troppo da una parte e la "dolce vita" non basta a riportarlo in equilibrio. La qualità della vita, il cibo, il sole, il mare non ce la fanno più a compensare quello che ti tocca ingoiare tutti i giorni in Italia.

È un limite personale. Ognuno ci arriva secondo la propria sensibilità e situazione. Ma adesso siamo in troppi, ad averlo superato. In troppi preferiamo andare a vivere peggio per stare meglio.

Vogliamo vivere in paesi civili, dove si rispettano le regole, dove il bene comune è superiore all'egoismo del singolo, dove chi sbaglia paga, dove i politici si dimettono, dove i diritti non sono un privilegio, dove i privilegi non sono istituzionalizzati, dove non c'è bisogno di avere santi in paradiso, dove non si invidiano i furbi e non si deridono gli ingenui.

Cosa c'è di nuovo, direte voi? L'Italia è questa da secoli. I vizi degli italiani sono gli stessi dai tempi di Machiavelli. Li hanno raccontati Flaiano e Montanelli e Barzini e la Cederna e decine di altri. Li hanno raccontati Sordi e Tognazzi e Dino Risi e la commedia all'italiana.

L'estate scorsa in Italia ho trovato su una bancarella un libro di Enzo Biagi. Si intitola *Cara Italia*. Non lo conoscevo. Anche Biagi, come tutti gli altri, racconta questo paese così bello e così dannato. Il folklore, il grottesco, i vizi e i difetti dell'italiano medio. Conclude che l'Italia è un paese come tanti altri, con molti aspetti positivi e alcuni negativi e molti cambiamenti in corso. Ma è un paese che può vantare figure di statura internazionale. La quinta o la sesta potenza mondiale, che oltre alla violenza della malavita conosce anche la generosità; che lavora, che costruisce, che ha fantasia, che sa inventare e che ha nel suo Dna quel pizzico di imprevedibilità che tra tanti popoli ci rende un poco diversi. Questo scriveva Biagi ed era il 1998.

Chi si azzarderebbe a sottoscrivere oggi queste parole? Dove è finita quella Italia? "Giusto o sbagliato questo è il mio paese," concludeva Biagi.

Questo non si nega. È normale essere italiani, nessuno si vuole dimettere da italiano. Però mi preoccupo quando mi dicono (e lo dicono spesso): "Beati voi che ve ne siete andati". Beati voi? Maledetto il popolo che invidia chi se ne va. Che poi l'erba del vicino non è sempre più verde. Lo vedrete leggendo: non è tutto oro quello che luccica. Londra, come tutti i posti del pianeta, ha le sue magagne. La sanità e le scuole pubbliche, che in Italia stiamo distruggendo, ce le invidiano, nel mondo. "Perché beati?" chiedo, allora. "Perché avete una prospettiva, date un futuro ai vostri figli." "O te ne vai, oppure ti adatti, se sei costretto a restare," ti dicono. "Se potessi manderei via almeno mio figlio." E chi può infatti lo fa. Le scuole e le università inglesi si stanno riempiendo di italiani "che possono" permetterselo. La borghesia italiana ha dato forfait.

Prima nessuno diceva "Beato te" a chi partiva. Non ricordo di aver mai invidiato qualcuno che andava a vivere all'estero. Pensavo, casomai: poveretti. Ora una grande fetta di italiani guarda al proprio paese come a una minaccia. La pietra che ti trascina a fondo. Un paese triste e senza speranze. Pieno di gente incattivita, che si guarda in cagnesco, che si accusa a vicenda. Costretto ancora una volta a sperare nello Stellone o nell'Uomo della provvidenza. Precipitato in una dimensione sudamericana, da Repubblica delle banane. Stiamo convincendo una generazione che studiare e vivere onestamente è inutile.

Solo a Londra, negli ultimi due anni, sono sbarcati 90.000 italiani. Tanti si sono registrati ufficialmente all'Anagrafe degli italiani residenti all'estero, ma secondo il Consolato d'Italia il numero reale va triplicato, perché la maggior parte non si iscrive. Quindi solo a Londra, solo negli ultimi due anni, sono arrivati più di 250.000 italiani. In tutto siamo ormai mezzo milione. Una media città italiana. Prendete Bologna e cancellatela dalla cartina. Lasciate un buco al posto di Firenze. O di Catania. O di Bari e Trieste messe insieme.

Gli ultimi dati ufficiali dell'Aire parlano di 4.341.156 italiani registrati come residenti all'estero al primo gennaio 2013. Contando quelli che non si iscrivono, la stima supera i 6 milioni. Più del 10 per cento della popolazione italiana.

Sono le dimensioni di un esodo. Siamo un esercito, ormai. E vorrà pur dire qualcosa.

Non è più una fuga di cervelli. E non è più la migrazione da valigia di cartone. Non siamo più *Pane e cioccolata*. Adesso cominciano a partire le famiglie, con i figli al seguito. Non siamo un paese che scappa dalla fame. L'Italia è un paese ricco. Ma è un paese dove non si vede il futuro. Da qualche parte c'è, ma nessuno sa dove cercarlo.

Guardatevi intorno, nella cerchia di amici e parenti. Non c'è bisogno di arrivare ai sei gradi di separazione per conoscere qualcuno che è partito o vorrebbe farlo. O ha un figlio o un nipote che studia o ha trovato un lavoro o spera di trovarlo all'estero. Intanto va, poi si vedrà. Sempre meglio che rimanere.

Questo è il mio racconto, ma credo sia simile a quello dei diversi milioni di italiani che hanno fatto la stessa scelta. O sono stati costretti a farla.

Cerchiamo di capirci: Londra non è meglio dell'Italia. Ma a Londra io ho trovato la banalità della normalità. Qui si può finalmente uscire dall'emergenza continua, qui si può vivere normalmente.

Ecco perché a Londra si vive peggio ma si sta meglio. Perché è un posto normale. È l'Italia a non esserlo più.

Se solo la bilancia tornasse a pendere per il verso giusto, in tanti torneremmo subito. Però bisogna fare presto. Perché la normalità è contagiosa e sento sempre più gente, qui, che dice: "Io non tornerò". I nostri figli, che stanno crescendo qui, vorranno tornare? Noi abbiamo ancora nel cuore le rondini delle elementari. A loro cosa rimarrà, dell'Italia? Mi consolo solo con una frase di Giolitti, del 1911: "Bastano due generazioni ben curate e ben educate a far rifiorire i destini di una nazione". Diamoci da fare.

Londra, novembre 2013

1.

Junk mail e democrazia diretta

Adoro la posta spazzatura. Pura follia, lo so. Ma che ci posso fare? Quando vi racconterò le mie ragioni, sarete un po' più indulgenti. Al posto della cassetta delle lettere esterna, le case inglesi hanno una fessura nella porta e uno sportellino chiuso da una molla. Fa un rumore secco tutte le volte che qualcuno imbuca. *Clac*. Ogni giorno ne trovo una manciata per terra, nell'ingresso. Non basta apporre il cartello "No junk mail" per evitare l'inondazione di foglietti e pubblicità. Riversare messaggi e opuscoli di ogni tipo dentro questa fessura è uno degli sport nazionali più praticati. Se rientri dopo una settimana di assenza ce ne sono così tanti per terra che la porta si incastra. *Clac*. *Clac*. *Clac*.

La maggior parte delle persone non la sopporta. Li capisco, ma voi dovete capire anche me. Io sono passata dal fastidio alla curiosità. E dalla curiosità a una vera passione. Prima cestinavo tutto senza neanche guardare. Poi ho iniziato a spulciare e ora non me ne lascio sfuggire uno. Perché questi foglietti sono una vera finestra sulla vita del quartiere. E siccome a Londra si vive per quartieri, sono una finestra sul tuo mondo. Cibi etnici, dog sitter, lavanderie, pizzerie a domicilio, minicab, pulitori di tende, vetri e *carpet cleaners* (ebbene sì, anche gli inglesi lavano la moquette, ogni tanto), lezioni serali di ballo. Niente sfugge a noi raccoglitori di junk mail. Alcuni sono autentici inni alla creatività, delle chicche imperdibili. Per esempio, in che altro modo avrei potuto scoprire che tra i servizi con consegna a domicilio della zona c'è anche la possibilità di affittare un martello pneumatico a giornata (con lo sconto del 25 per cento se lo tieni per l'intero fine settimana)?

E poi la scoperta più sorprendente: anche la democrazia diretta inglese viaggia tramite junk mail. Cioè, è talmente diretta che ti arriva dentro la buca delle lettere, insieme alla pubblicità.

Noi che non buttiamo la posta spazzatura siamo informati su un sacco di cose. Il *borough*, che è il quartiere, comunica su tutto e il cittadino è interpellato in continuazione. Un *borough* di Londra è grande come un comune italiano e ha un suo sindaco e una sua propria amministrazione. Hanno deliberato di rinnovare il parco giochi? La cittadinanza è pregata di visionare il progetto online oppure si può recare direttamente presso la sede del *borough* per vedere i disegni e il plastico, spulciare i preventivi e le diverse soluzioni proposte. Se non ti piace e hai obiezioni ragionevoli e motivate puoi fare formale opposizione, proporre modifiche e dare suggerimenti.

Devono riordinare l'archivio della biblioteca di quartiere? Ti mandano l'avviso a casa, per preannunciare inconvenienti dal giorno tale al talaltro e al contempo per avvisare i cittadini interessati che potranno accedere al servizio presso le biblioteche più vicine, delle quali si forniscono indirizzo, orari, attività. Se gli avvisi li vuoi stampati in caratteri più grandi oppure in Braille, telefona a questo numero e il giorno seguente te li troverai in corpo 20 nella solita fessura delle lettere. *Clac.* Questo è l'effetto combinato della democrazia diretta e del politicamente corretto, così che anche il cieco e il vecchietto stanno al passo con quanto accade e intervengono, se vogliono. I vecchietti, come scoprirò, anche troppo. Gli abitanti votano e decidono anche su cose che a noi sembrano assurde. Per esempio, il colore delle panchine e le piante da mettere nelle aiuole. Si protesta, si partecipa, si decide.

Nella strada dove abitavamo prima c'era anche un'associazione dei residenti. Dopo neppure una settimana dal nostro trasloco, si fanno vivi. Come? Indovinato: *clac*. Con una letterina imbucata nella solita fessura: "Gentili nuovi vicini, se volete associarvi sono 5 sterline l'anno. Avrete diritto a una copia dello statuto, al nostro bollettino semestrale e sarete tenuti informati sulle attività dell'associazione". Ovviamente ho messo le 5 sterline nella busta e l'ho rispedita al mittente. Il giorno dopo è arrivata un'altra busta con lo statuto, la ricevuta del versamento e tutto l'organigramma dell'associazione, con i nomi del presidente, del tesoriere e dei vari responsabili delle attività. Compreso il responsabile dell'arredo urbano e dei fiori nelle aiuole.

L'associazione si riunisce due volte l'anno, nell'oratorio di una chiesa anglicana affittato al proposito. Come socia, e forte delle 5 sterline versate, mi presento. Una sala zeppa, tutti seduti in silenzio. Ci saranno un centinaio di persone di vario colore e nazionalità, vestite nei modi più disparati, qualcuno in tuta da ginnastica, altri in ciabatte, altri elegantissimi. Riconosco il manager in completo blu appena vomitato fuori dalla stazione della metropolitana con la massa dei pendolari di ritorno dalla City, il pachistano titolare della lavanderia, l'iracheno che ha il negozietto di dolciumi e una donna che ho già visto in giro con cani e bambini. Partecipano anche il funzionario dell'ufficio edilizia del *borough* e il poliziotto di quartiere, che stanno seduti dietro a un tavolo insieme a quello che credo sia il presidente dell'associazione. Si parla di pulizia delle strade, dei fiori, del pub che ha chiesto di prolungare di un'ora l'apertura – quindi a mezzanotte invece delle fatidiche undici – quando suona la tradizionale campana per l'ultimo giro di ordinazioni. Ma l'argomento caldo all'ordine del giorno è la richiesta di variazione del piano regolatore per permettere la costruzione di abbaini e aprire nuove finestre sui tetti. La discussione è accesa, per gli standard di queste latitudini. Le urla e le sceneggiate napoletane delle riunioni di condominio italiane sono un ricordo lontano. Però c'è concitazione, soprattutto fra gli anziani, per i quali l'apertura di un abbaino è la dimostrazione palpabile della dissoluzione dell'Impero britannico, fu glorioso. Se iniziamo a cedere sugli abbaini, cosa rimarrà della nostra tradizione inglese? Chi vuole intervenire alza la mano per chiedere la parola. Ognuno parla quando è il suo turno. Nessuno interrompe. La decisione sarà presa dalla commissione urbanistica, ma ciascuno ha potuto dire la sua.

Come avete capito, mi diverto un sacco a sentirli discutere. A noi amanti della posta spazzatura piace da matti mettere il naso in una riunione di quartiere come questa. Alla fine c'è un piccolo rinfresco organizzato dai cittadini. Ciascuno ha portato qualcosa. Patatine, sandwich al cetriolo, piccole tartine ripiene di carne, popcorn, olive e sottaceti. Tra un bicchiere di vino e una birra la discussione continua e qualcuno si accorge di me, volto nuovo. Una signora dai capelli bianchi e gli occhi azzurrissimi si avvicina e mi chiede se voglio aderire al *Neighbourhood watch scheme*, il sistema di vigilanza di quartiere.

Non saprei, temporeggio. Non so cosa sia. Lo sguardo mi casca sulle sue mani nodose. Lei se ne accorge e quasi si giustifica: lavora molto in giardino e nell'orto. Poi con orgoglio mi informa che dentro l'associazione è la responsabile del giardinaggio.

Organizzano una gara annuale per il miglior balcone, se volessi partecipare è a lei che devo rivolgermi.

E mi manderà anche il modulo per votare di che colore preferisco le petunie che saranno piantate a primavera nelle fioriere appese ai lampioni della via. Le dico che non sono proprio un pollice verde, sarei capace di far morire di sete un cactus. Così torna all'attacco sul *Neighbourhood watch scheme*. È un sistema che coinvolge i cittadini di una certa area per vigilare contro furti e vandalismi nel vicinato. Non puoi agire direttamente, ma se noti qualcosa di sospetto o addirittura un crimine in atto avvisi la polizia. Le strade dove è attivo questo tipo di servizio sono segnalate da cartelli, che funzionano da deterrente, in modo che il potenziale malintenzionato sappia a cosa va incontro: dietro ogni finestra potrebbe esserci un'arzilla vecchietta pronta a telefonare alla polizia. La cosa, mi racconta, è nata negli anni settanta in risposta allo stupro di una ragazzina sotto gli occhi di una dozzina di testimoni che non hanno mosso un dito. L'indignazione della gente ha portato alla formazione di questi gruppi che controllano i quartieri contro ladruncoli, spacciatori, guardoni, molestatori. Serve per la prevenzione dei crimini ma anche come servizio alla comunità. Cioè, mettiamo che una delle vecchiette del quartiere abbia subìto uno scippo e abbia perciò paura ad andare da sola alla Posta a ritirare la pensione: tu che sei nel gruppo della vigilanza di quartiere l'accompagni e la scorti. Guardo il numero di vecchiette nella sala e, nonostante il secondo bicchiere di vino a stomaco vuoto, sono ancora abbastanza lucida da riuscire a declinare l'invito. Darò un occhio se vedo potenziali stupratori in giro, ma la scorta al Bancomat la lascio volentieri ad altri cittadini più esperti.

Poi abbiamo traslocato. Nel nuovo quartiere non c'è l'associazione dei residenti. Per il resto, la situazione vecchiette e junk mail non è cambiata.
L'altra mattina ho trovato sopra il mio mucchio di

junk mail colorata la facciona sorridente di due agenti della Metropolitan police (altrimenti detta Scotland Yard, dall'indirizzo del suo precedente quartier generale). Uno è bianco e l'altro è indiano, vedi mai che non si rispettino le diversità etniche. Uno indossa il turbante e l'altro il classico elmetto nero da Bobby, entrambi con la stella della polizia e il simbolo di Sua Maestà belli luccicanti. Mi domandano: "Stiamo operando bene per combattere il crimine in questa zona?". Sono basita. Forse ho capito male. Scotland Yard chiede a me se stanno facendo bene? Abituata a ricevere dalla pubblica amministrazione e dalla polizia municipale solo grane, avvisi di pagamento e multe, un poliziotto che chiede il mio parere è qualcosa di lunare. A noi che non cestiniamo la junk mail succede anche questo.

La settimana scorsa c'è stato un incontro pubblico con le forze dell'ordine. Tema: la sicurezza. I cittadini hanno sollevato parecchie questioni e il foglietto che ho in mano è il resoconto alla popolazione. C'è scritto grosso così, in stampatello: FEEDBACK. Non solo ti chiedono il parere, ma poi ti rispondono pure. Il foglio è suddiviso in due colonne. Da una parte: "Quello che avete detto". Dall'altra: "Quello che abbiamo fatto". Nella prima colonna sono riportate le lamentele e le segnalazioni dei cittadini, cose del tipo: "Siamo preoccupati per l'aumento di furti e di tentativi di furto di macchine in Sterndale Road". Oppure: "Ci sono troppi ubriachi per strada in Rockley Road". "Siamo preoccupati per lo spaccio di droga in Minford Gardens, Sulgrave Road, Lakeside Road, Netherwood Street." Nell'altra colonna c'è la risposta del Commissariato a ogni quesito: "Metteremo a punto un'unità di prevenzione della criminalità nelle strade interessate". "Nuove pattuglie verranno mandate a controllare le strade dove operano gli spacciatori." "Potenzieremo il servizio vicino ai pub e ai locali notturni e aumenteremo il controllo sui negozi che vendono alcol a chi beve per la strada."

Il mio cinismo mediterraneo si sveglia improvvisamente. Non ci crederai, vero?, mi sussurra all'orecchio. Vorrai mica abboccare a questa buffonata? "Il tuo quartiere, la tua opinione, la nostra priorità." Sarà il solito slogan, quanti ne abbiamo sentiti, tutte chiacchiere.

Invece no, lo fanno davvero. O almeno ci provano. La gente nei paesi civili è così abituata ad avere un controllo sui pubblici ufficiali che, se dicono che manderanno la pattuglia due volte al giorno, state certi che lo faranno. La polizia inglese opera secondo il principio della *policing by consent*, il che non vuol dire che ti arrestano solo se sei d'accordo. Significa mettere a disposizione dei cittadini un servizio di polizia che opera con l'approvazione della cittadinanza. L'esistenza stessa delle forze di polizia è dettata da un patto sociale con il popolo per cui a certe persone è demandato il compito di far rispettare le regole e la legge. Il poliziotto è al servizio del cittadino prima che della legge. E questo già spiega molte cose, in primo luogo perché i Bobby in genere non sono armati.

Rimanendo nel campo della sicurezza, lo scambio istituzioni-cittadini è continuo. Ci sono riunioni più formali, che si tengono nella sede del *borough*. Altre invece sono semplici incontri per la strada. Le chiamano *Crime prevention hours*. Le pattuglie di quartiere danno appuntamento alla popolazione per strada, alla tale ora del tal giorno, per raccogliere proteste, segnalazioni, reclami. Il metodo è sempre il solito: il dépliant nella buca delle lettere. "Vieni a incontrarci," c'è scritto sull'avviso. "Hai la possibilità di ottenere consigli, di esprimere la tua opinione in merito a questioni di polizia locale e di contribuire a fare la differenza per il tuo quartiere."

Noi raccoglitori di junk mail non ci facciamo scappare certe chicche e così alla prima occasione mi sono presentata all'incrocio delle strade indicato nel dépliant.

21

C'erano due poliziotti, un uomo e una donna (non si dica mai che si discrimina sessualmente), con il loro bell'elmetto, il manganello, le manette penzoloni, il giubbotto antiproiettile, il microfono della trasmittente in cui gracchia la voce dalla Centrale e la pettorina gialla fosforescente. Sembra un assetto da guerra, ma girano sempre così per la città.

I due se ne stavano lì, con le biciclette appoggiate alla ringhiera di ferro battuto tinta di nero, in attesa che la popolazione arrivasse a frotte. Sono arrivata io. Mi hanno chiesto quale fosse il mio problema. Ho spiegato che non avevo problemi, volevo solo fare conoscenza e capire come funziona questo tipo di cose. Allora mi hanno riempito di volantini per donne sole: come evitare gli scippi di notte, una statistica delle strade più a rischio, il numero di scippi mese per mese e per picco orario (non ci si salva dalla loro proverbiale mania delle classifiche e dei numeri. Si parla di scippi? Ecco la statistica area per area. Rapine? Idem. Furti in casa? Basta chiedere).

Poi mi hanno domandato se guido e così mi hanno dato un altro volantino per spiegare alle donne sole come evitare stupri e brutti incontri quando sono al volante: parcheggiare preferibilmente sotto il lampione, non aprire la portiera con il comando a distanza e non lasciare la macchina incustodita quando si va a pagare nelle stazioni di servizio perché qualcuno potrebbe intrufolarsi sul sedile posteriore per aggredirvi alle spalle. Poi mi hanno dato il volantino su come parcheggiare: in nome del buon vicinato lo spazio non va sprecato e quindi la macchina va lasciata pensando a chi arriverà dopo. "La prossima volta potresti essere tu a trovare un'auto che occupa lo spazio di due" (c'è anche la figura, nel caso la donna sola fosse così troglodita da non capire).

Alla fine sono riuscita a fargli capire che non sono una donna sola, anzi viaggio sempre con schiere di ragazzini al seguito. Allora mi hanno riempito di dépliant appositi: le strade a rischio per la presenza di spacciatori (stesse statistiche, numeri ecc.), i pericoli dell'alcol, le aree del quartiere dove operano le gang e le regole per non farsi fregare il cellulare e l'Ipod all'uscita della metropolitana (sostanzialmente non tenerli in bella vista, ma in tasca).

Fortunatamente è arrivata a salvarmi una vecchietta. Era furibonda perché il vicino mette l'immondizia in strada il giorno prima della raccolta, così le volpi urbane fanno un disastro. Dovete sapere che le volpi sono numerose come i gatti, a Londra. E sono peggio dei cani randagi, perché usano la proverbiale furbizia per racimolare cibo. Con la stessa flemma con cui spiegavano a me i segreti del parcheggio sicuro, i due agenti hanno preso nota dell'indirizzo e hanno detto all'anziana signora di non preoccuparsi, ci avrebbero pensato loro. Anche alle volpi.

Poi è arrivato un gruppo di tizi provenienti dal pub all'angolo per parlare della distesa di bottiglie di birra abbandonate sul marciapiede e sui davanzali delle finestre il venerdì e il sabato sera. Li ho lasciati nelle braccia dei due Bobby e me ne sono andata. Sono sicura che li avranno riempiti di dépliant sugli ubriachi nel weekend, le risse per strada e le percentuali di ferite di arma da taglio.

Così va la vita di quartiere. Non si discute in astratto ma in concreto. Non ti promettono di debellare il crimine nel Regno Unito, ma più semplicemente di cacciare gli spacciatori davanti alla scuola di via tal dei tali. È un microintervento, quindi facilmente controllabile. Se lo spacciatore è sempre lì, alla riunione successiva il poliziotto dovrà renderne conto ai cittadini prima che al suo capo. E a giudicare dal livello di isteria dell'anziana signora, non so cosa sia peggio.

Ora, parliamoci chiaro. Se la gente in Gran Bretagna si fida e ama la sua polizia, non vuol dire che il poliziotto di quartiere sia un santo e che Scotland Yard sia un collegio di educande. Sir Robert Mark, che negli anni sessanta fu chiamato per ripulire il corpo da un sistema di corruzione definita "endemica e spregiudicata", racconta nel suo libro di memorie che gli ispettori stringevano accordi economici con rapinatori di banche, spacciatori, magnaccia. Scriveva Sir Mark: "Avevo servito per trent'anni in polizie di provincia e anche se avevo assistito a pratiche illecite non avevo mai visto un malaffare istituzionalizzato, una cecità, un'arroganza e un pregiudizio di proporzioni lontanamente simili a quelle che alla Metropolitan police erano considerate la norma". Quando nel 1977 andò in pensione, la fiducia della gente era in gran parte recuperata e il livello di corruzione riportato entro termini accettabili.

Nel 2011 lo scandalo "Tabloidgate" ha rimesso tutto in discussione e lo spettro della corruzione è tornato ad aleggiare quando è stato chiaro a tutto il paese che i funzionari di Scotland Yard prendevano mazzette dai giornalisti del gruppo Murdoch per dare informazioni riservate sui vip e per chiudere un occhio su comportamenti e intercettazioni illegali. Di nuovo è affiorato un sistema "endemico e spregiudicato" di corruzione che ha toccato i livelli più alti delle istituzioni, ha lambito il governo e ha fatto vacillare ancora il mito di Scotland Yard. E sui media britannici è stato di nuovo evocato uno dei programmi televisivi più popolari a cavallo degli anni sessanta, *Dixon of Dock Green*, un telefilm che raccontava le gesta dell'agente Dixon, un vecchio Bobby, uomo perbene, rispettabile e amichevole, modello per agenti e colleghi in una stazione di polizia immaginaria nell'East End di Londra, umano e giusto anche quando manda dietro le sbarre i cattivi.

Ma il "Tabloidgate" è stato anche un ciclone salutare perché, sull'onda delle inchieste e dell'indignazione popolare, è partita una pulizia radicale, sono stati decapitati i vertici corrotti della polizia, incarcerate e indagate decine di giornalisti. L'opinione pubblica ha avuto un gran peso nel repulisti. Anche se siamo in una monarchia, qui ti senti cittadino e non suddito. E il cittadino britannico si considera prima di tutto inglese e poi di destra o di sinistra. Questi due elementi permettono all'indignazione di non essere a intermittenza politica e secondo le convenienze di parte. Il ladro è ladro indipendentemente dal partito di provenienza e lo stesso vale per i corrotti.

Lo scandalo dei rimborsi elettorali e il "Tabloidgate" sono stati la dimostrazione che su questioni fondamentali le posizioni di un intero popolo sono assolutamente trasversali rispetto alle differenze politiche. Dal "Tabloidgate" alle cose minime, dal grandissimo al piccolissimo, il sistema funziona perché si ha ancora la capacità di indignarsi, il cittadino conta qualcosa e quando protesta c'è qualcuno che dall'altra parte ascolta e reagisce.

Noi raccoglitori di junk mail siamo anche lettori delle notizie minori di cronaca cittadina. E una notizia mi ha particolarmente colpita, perché è molto più di un episodio: è l'icona di un popolo. Siamo in Temple Fortune Road, Barnet, sobborgo nel nord-ovest di Londra. Un pulmino della polizia parcheggia con i lampeggianti blu accesi sulle strisce riservate alla fermata del bus. Il fatto attira l'attenzione dei passanti che pensano a un intervento d'emergenza, tipo una chiamata al 999, il 113 di qui. Sarà una rapina? Un furto? Un omicidio? Invece niente inseguimenti né concitazione. Uno solo dei due agenti scende con calma dalla vettura e si dirige a passo lento verso un Costa Coffee, per poi ritornare senza fretta verso il pulmino portando in mano due caffè. E fin qui non sarebbe neppure una storia. È il seguito a renderla stupefacente. Quando capiscono che non si trattava di un intervento d'emergenza ma di una pausa caffè, i passanti da incuriositi diventano scandalizzati e indignati: come hanno potuto i due insolenti poliziotti parcheggiare in un posto proibito abusando delle loro prerogative? Così uno dei passanti, il più indignato, tal Mr D., si rivolge alla polizia denunciando il grave abuso di potere.

Il fatto appare così serio da occupare un'intera pagina dell'"Evening Standard", il giornale pomeridiano distribuito gratuitamente in metropolitana, letto da milioni di pendolari. Quindi si suppone che questi milioni di lettori siano interessati al caffè preso con i lampeggianti accesi e si indignino in egual misura. Il giornale intervista addirittura il testimone che dichiara: "Il conducente se ne stava lì seduto e si guardava intorno in modo furtivo e ho pensato che fosse un comportamento strano. Per questo ho deciso di aspettare, così ho visto l'altro che usciva da Costa portando due caffè. Ho pensato che fosse un abuso assoluto dei loro privilegi e l'ho detto a quei due. Se fossi stato io a parcheggiare in quel posto, mi sarei beccato una multa. Loro hanno bloccato il traffico fermandosi in una corsia per i bus". Ma non finisce qui. All'indignazione verbale sono seguiti i fatti. Perché l'indignato Mr D. si è rivolto alla stazione di polizia per lamentarsi. E lì si sono subito attivati per "monitorare strettamente la situazione" e hanno dato una bella strigliata ai due agenti. L'ispettore capo ha dichiarato: "Noi incoraggiamo i nostri agenti ad avere rapporti e a servirsi nei negozi locali, ma lo devono fare nella maniera giusta. Noi siamo consapevoli che il modo nel quale i nostri poliziotti agiscono è della massima importanza e questo tipo di comportamento è inaccettabile". La storia finisce con i due tapini ammoniti e posti sotto "stretta sorveglianza". Nel caso dovessero azzardarsi a prendere altri caffè abusando dei loro privilegi.

Una piccola storia. Ma è dalle piccole cose che si costruisce una grande comunità, unita da quello che è il vero spirito di Londra. Hanno fatto il giro del mondo le foto di cittadini comuni con la ramazza e i sacchi neri per ripulire la città dopo i disordini nei sobborghi dell'estate 2011. Centinaia di abitanti riversatisi in strada spontaneamente: dalla corpulenta donna giamaicana che si piazza di fronte ai rivoltosi dicendo loro che non è quello il modo di protestare ai commercianti turchi di Dalston e Green Lanes che si sono messi a difesa dei loro negozi di frutta e verdura muniti di mazze da baseball spalleggiati dalla popolazione. Noi lettori di junk mail e di cronaca cittadina lo sappiamo: lo spirito di Londra è figlio della democrazia diretta e la nutre a forza di piccole storie.

2.

Cercatori di scuole

Ben è il bambino inglese delle pubblicità. Pelle chiarissima, occhi azzurri e ovviamente biondo. Attraversa la navata e dà appena un'occhiata ai genitori prima di mettersi in fila. Va dritto verso la panca di legno e tiene in mano il tagliandino blu. Il suo cognome deve essere compreso tra la A e la D. Anche noi abbiamo il tagliandino blu, sennò non saremmo qui. Se il nostro tagliandino fosse giallo saremmo entrati dall'ingresso ovest, cognomi dalla E alla L. Oppure dalla piscina (tagliandino rosa, dalla M alla Q). O dal lato dei campi da calcio, tagliandino verde, cognomi dalla R alla Z. Non ti puoi sbagliare. Niente sfugge alla perfetta organizzazione inglese. Avete presente le Olimpiadi? Ecco, organizzano tutto con la stessa precisione. Sono imbattibili in questo, gli inglesi. Cerimonie ed eventi sono il loro forte. Quindi per il test c'è anche la piantina, con gli ingressi, i numeri e i tagliandi. Un test alla famosa Latymer Upper School di Hammersmith, West London, fondata nel 1624, rientra di diritto nella categoria "eventi".

Ad accogliere i bambini ci sono gli alunni dell'ultimo anno, in uniforme. Mostri il tagliandino, ti smistano al tuo ingresso, come allo stadio. Ogni colore un settore e una cancellata diversa. Oggi si tratta di incanalare 1400 bambini di 10 anni nelle diverse aule per l'esame di ammissione. Solo a 180 di loro verrà offerto un posto in questa che è considerata una delle migliori scuole secondarie di Londra.

Come ci siamo finiti qui, mio figlio e io, in questo austero e freddo refettorio, è una storia lunga iniziata con il nostro trasferimento a Londra e con la ricerca di una scuola. I miei figli frequentavano una elementare italiana: tante tabelline, analisi grammaticale e tempi verbali. L'inglese quanto basta per farsi capire, ma niente di più. Nella nostra ingenuità di genitori italiani pensavamo di doverci trovare una casa e poi una scuola pubblica nelle vicinanze. Poveri illusi. *Finding the school* è diventata la mia occupazione primaria. Per mesi. Un incubo.

Ben avanza spavaldo tra le due ali di panche. Pietra spoglia, nessun fronzolo, guglie vittoriane e vetrate istoriate. Alle pareti, nelle nicchie tra le colonne, i ritratti dei fondatori e degli alunni emeriti, con la targa d'ottone. Presidenti di società, esploratori, avvocati famosi, atleti: ognuno ha in qualche modo contribuito a portare gloria al Fu Glorioso Impero Britannico. Poi bacheche con gagliardetti, coppe e trofei. Cucito sul taschino della giacca, Ben sfoggia lo stemma di una delle più esclusive scuole elementari di Londra. È una *public school*, che vuol dire privata (detta anche *independent*). Le pubbliche invece si chiamano *state school*, ma chi può permettersi di pagare la retta da 15/20.000 sterline l'anno non ci manderebbe mai suo figlio. Soprattutto non lo farebbero i genitori di Ben, che avanzano lungo la navata con lo stesso passo sicuro del pargolo.

Le famiglie alfa si riconoscono da lontano, prima ancora di distinguere gli inconfondibili simboli della ricchezza e del potere. Perché le famiglie alfa sono vincenti fin dall'andatura. Anche la madre è bionda, ticchetta su tacchi esagerati per le 8.30 di mattina. Jeans attillato, stivale aggressivo, bolero di pelliccia bianca. Il padre indossa un completo blu d'ordinanza, camicia a righe sottili, scarpa allacciata nera, lucidata di tutto punto. Sul braccio l'impermeabile, nell'altra mano la ventiquattrore. Sembra uscito dalla pubblicità di un whisky per l'uomo di successo.

Finding the school, la ricerca della scuola, è una delle attività più stressanti per le famiglie. È probabile che nella graduatoria anglosassone degli stress venga addirittura prima del lutto per la perdita del partner, del licenziamento e degli altri sciagurati eventi che compaiono in questo tipo di classifiche. Per entrare nelle migliori scuole del Regno i bambini delle famiglie alfa vengono iscritti il giorno stesso della nascita. Pensavo fosse una leggenda metropolitana, invece è la prassi: mentre la madre è ancora appesa alla flebo in sala parto, il padre è già in fila per inserire il neonato nella lista d'attesa della "scuola giusta".

La scuola e la casa sono gli argomenti principali di qualsiasi conversazione sociale. Le case nel "bacino d'utenza" delle buone scuole costano fino al 15 per cento in più rispetto al prezzo di mercato. I politici, gli attori, ogni personaggio pubblico viene sempre indicato con due dati fondamentali: la scuola che ha frequentato e quanto costa la casa in cui abita. Sui giornali inglesi li descrivono così: "Tizio, educato nel tal college, che abita in una casa del valore di tot sterline". Educazione e abitazione sono gli indicatori sociali per eccellenza. Come il postcode: dimmi di che codice postale sei e ti dirò cosa mangi, dove vai in vacanza e chi sono i tuoi amici.

Intorno all'istruzione privata c'è un vero e proprio business. Sono 2500 le *independent schools* sparse per tutta l'isola. C'è addirittura una fiera, dove le scuole si mettono in mostra per attirare i migliori studenti. Si chiama Independent School Fair, si tiene a Londra a novembre ed è un luogo che vale la pena visitare. Una volta nella vita basta e avanza. È come una fiera di cavalli (o del libro, del vino o di cosa vi pare), con i vari stand allestiti per attirare clienti e piazzare il proprio prodotto. Il mercato delle private funziona come tutti i mercati: si paga per avere un'istruzione di qualità. Ma siccome la domanda è superiore all'offerta, le scuole scelgono i ragazzini migliori, quelli che hanno voti migliori e il curriculum più appetibile. La selezione avviene a vari livelli, ma quelli fondamentali sono a 11 anni, a 13 e a 16. Alla Fiera delle scuole private si capisce bene come funziona il sistema. Le scuole più famose sono al centro (Harrow, Wellington, Sevenoaks, Eton, Charterhouse, Malvern College, Marlborough). Sono le migliori *boarding schools* del Regno, quelli che noi chiameremmo "collegi". Avete presente la scuola di Harry Potter? Le stesse guglie, le cappelle, i vecchi oratori, gli sterminati prati recintati da staccionate bianche che delimitano i campi da calcio, cricket, rugby e golf, le divise, le *houses* dove dormono i ragazzi. Questi college sono in genere in mezzo al nulla della verdissima campagna inglese. Abbastanza nel nulla da evitare che gli alunni cadano nella tentazione di fughe notturne verso le distrazioni, ma abbastanza vicini a un paese da poter uscire il sabato e dedicarsi all'altro sport nazionale, la sbornia nel pub del villaggio. In questi luoghi si fa un po' la vita da Harry Potter.

Ce ne sono di tutti i tipi. Parcheggi per ricchi scemi o scuole di eccellenza. Solo maschili, solo femminili o miste, dette *co-ed* (che sta per *co-educational*): sono una minoranza, lasciano perplessi gli inglesi ma sono molto gettonate e ambite dalla clientela internazionale. In molte di queste scuole il 30 per cento è costituito da stranieri. Vengono da tutto il mondo per studiare in Inghilterra.

La grande distinzione è tra scuole con sistema inglese (alla fine si ottiene un certificato di maturità

A-Level) e quelle con sistema internazionale (alla fine si ha un IB, l'International Baccalaureate). In ogni caso le rette sono salatissime: frequentare una *boarding school* senza *scholarship* (borsa di studio) costa sulle 30.000 sterline l'anno. Le borse di studio sono sempre e comunque una percentuale ridicola e servono solo come foglia di fico per poter sostenere che i meritevoli, anche se poveri e disagiati, possono arrivare perfino al college di Eton, la più famosa, sempre tra le cinque migliori in classifica. Non è vero, ovviamente.

Per capire l'entità del fenomeno e la vastità dell'offerta, esiste anche una *Good School Guide*, una sorta di guida Michelin che recensisce un migliaio tra le migliori scuole britanniche. È un tomo di 1552 pagine. Ogni anno (dal 1986) viene accuratamente aggiornato da cinquantuno ispettori scolastici che effettuano visite e compilano schede molto dettagliate. Della scuola esaminata si racconta tutto: il curriculum del preside e del corpo insegnante, gli sport praticati, la filosofia di insegnamento, il sistema seguito (IB o A-level), le attività extrascolastiche, le votazioni degli alunni e quanti sono riusciti a entrare a Oxford e a Cambridge. La graduatoria delle scuole, pubblicata dai giornali una volta l'anno, fa diventare matti gli inglesi. Un posto in più o in meno può mettere in crisi il loro ruolo di genitori e minare certezze radicate.

Tutti – conoscenti, colleghi e amici – mi avevano sconsigliato la scuola pubblica. Ma io sono cocciuta e decido di ignorare avvertimenti e prediche. I giornali pubblicano quotidianamente pezzi di cronaca di bullismo esasperato, coltelli in classe, pestaggi di professori, intere classi sospese per indisciplina. Succedono cose di questo tipo: alla Darwen Vale High School, nella contea del Lancashire, settanta professori hanno picchettato i cancelli in segno di protesta contro il vandalismo e le minacce degli studenti. Avevano sequestrato i cellulari di alcuni bulletti da social network. È dovuta intervenire la polizia per evitare una rivolta violenta.

Non bastano questi resoconti a dissuadermi. I giornali esagerano sempre, si sa. So che qualche buona scuola pubblica c'è. Poche, è vero. A macchia di leopardo, è vero. Però sono certa che – almeno alle elementari – gang, droga, bullismo e alcolismo non saranno un pericolo. Dovrebbe insospettirmi la campagna per l'alfabetizzazione promossa dall'"Evening Standard", che raccoglie fondi per promuovere la lettura nelle scuole statali. I dati sono agghiaccianti: il livello di scolarizzazione nelle statali è talmente basso che a 11 anni quattro ragazzini su dieci non sono in grado di leggere un libro dall'inizio alla fine. Nelle scuole pubbliche troppi alunni parlano uno slang che non è neppure inglese. La maggioranza è sovrappeso. Ingurgitano schifezze a ogni ora del giorno. Molti non hanno mai consumato un pasto seduti intorno a un tavolo con la famiglia. La verdura è considerata una stranezza esotica di cui non si intuisce il beneficio. Solo le famiglie alfa si nutrono di proteine, verdure e frutta, preferibilmente biologiche. Loro no. Ognuno apre il frigo e mangia quel che trova, quando gli va, quando può. Carboidrati, piatti pronti, sandwich, surgelati quando va bene. Patatine, snack e pasto pronto di McDonald's quando va male. Il peggior cibo spazzatura da consumare stravaccati sul divano davanti a un televisore enorme. Più lo schermo è grande, piatto e all'avanguardia, più la famiglia è in basso nella scala sociale. Più alto è il numero di calorie ingurgitate nell'arco delle ventiquattro ore, più alta è la probabilità di abbandono scolastico prima dei 16 anni.

Questi e altri particolari dovrebbero convincermi a lasciar perdere con la scuola statale. Ma a questo punto scatta in me la curiosità antropologica. Possibile che non esista una scuola pubblica decente in tutta Londra? Possibile che solo un embrione di sei

33

mesi, destinato a nascere in una famiglia alfa, abbia una chance di ricevere un'istruzione decente? Non può essere.

E così procedo. Seguo alla lettera la trafila per l'iscrizione. Sul sito del mio *borough* compilo i moduli online. Età, sesso, dati anagrafici eccetera. In base alla tua "catchment area" si apre una finestra con i nomi delle varie scuole di quartiere. Puoi esprimere due preferenze, la tua cosiddetta "first choice". La procedura sembra perfetta. In effetti, formalmente tutto fila liscio. Spesso si rimane allibiti per la velocità e la precisione delle procedure, in questo paese. Non passa una settimana che arriva a casa una lettera piena di bolli e timbri. Impeccabile nella forma, disumana nella sostanza:

"Gentile famiglia, siamo davvero spiacenti di dovervi comunicare che non ci sono posti disponibili per i vostri figli nelle scuole da voi richieste. Siamo altresì spiacenti di dovervi comunicare che anche tutte le altre scuole del quartiere sono complete. Possiamo offrire ai vostri figli un posto qui e qui". Prendo la cartina e controllo: quella per il figlio più grande è vicino a Croydon, quella per il piccolo a Hounslow (conosco la fermata, è poco prima dell'aeroporto di Heathrow sulla Piccadilly Line). Praticamente ai due estremi della città, in direzioni opposte.

Prosegue la lettera:

"Se avete comunque intenzione di inserire i vostri figli nella lista d'attesa della scuola richiesta, dovete comunicarlo per iscritto entro 7 giorni dal ricevimento della presente. Per completezza d'informazione vi avvisiamo che ci sono già altri 97 bambini prima di voi e che, non avendo voi indicato particolari necessità didattiche per dislessia o altre disabilità, è estremamente improbabile che un posto diventi disponibile nei prossimi 5 anni. Per non farvi perdere ulteriore tempo, in tutta onestà vi consigliamo di rivolgere altrove la ricerca. Cordialmente".

Il sistema pubblico nazionale britannico mi sta "cordialmente" comunicando che non è in grado di offrire a una famiglia residente a Londra, che paga le tasse sul suolo britannico, un posto in una scuola più vicina di una dozzina di chilometri equivalenti a quaranta minuti di metropolitana. D'accordo, le distanze iperboliche e la vita da pendolari sono un tutt'uno con la vita londinese. Ma l'offerta che mi fanno mi pare davvero improponibile. Non succede a noi perché siamo stranieri. Succede anche agli inglesi. È il sistema. È così che ci siamo inoltrati nell'incubo del *finding the school* e nel rutilante mondo delle private.

Siamo qui, allora. Mio figlio e io, con il numero e l'astuccio in mano. E la madre di Ben che ci guarda in cagnesco. Il padre invece spippola sul BlackBerry. Ci sono parecchi papà oggi. Prendono un giorno di ferie per accompagnare il figlio al *big day*. Non si parlano, nessuno sorride. La madre di Ben distoglie lo sguardo quando cerco di scambiare due parole. Siamo dei concorrenti, potremmo essere noi a fregare il posto al suo caro figlioletto alfa. Forse sarebbe più gentile se solo sapesse che le chance per noi sono pari a zero. Siamo arrivati dall'Italia da poco. Mio figlio parla un inglese elementare, scrive *to have* senza *h* (anche in Italia, se per questo, scriveva *tu hai* senza *h*) e siamo qui principalmente per capire. Sì, lo ammetto: uso mio figlio come cavia per l'esperimento antropologico.

La tensione si taglia con il coltello. Bambini muti, con gli occhi rivolti a terra. Qualcuno scambia due parole sottovoce con il compagno di scuola. Sono invitati a indossare l'uniforme della scuola di provenienza. Noi e pochi altri indossiamo abiti "borghesi". Il "dress code" sconsiglia comunque sneakers, felpe con il cappuccio e jeans.

Il leggero brusio del refettorio diventa di botto silenzio. Sono le 8.30 esatte. La leggendaria puntualità britannica. Una professoressa appare sul palco in legno sul fondo dello stanzone. Chiama i nomi a uno a uno. I bambini devono alzarsi, percorrere la navata, salire e mettersi in fila. Li dividono in gruppi da una trentina e li affidano a una maestra. Ogni gruppo ha una sigla: E5, C43, C4, CE8. I ragazzini spariscono dietro una pesante porta di legno che si chiude ogni volta con un cigolio e un tonfo. La professoressa sul palco avvisa che verranno riconsegnati secondo la sigla. Quindi, oltre al tagliandino colorato, ora abbiamo anche la sigla. Noi siamo E5. Suona sinistro. Sembra il nome di uno di quei coloranti cancerogeni messi al bando dalla Comunità Europea.

Quando la preside pronuncia il nome del bambino, c'è chi si alza di scatto e va spedito, come Ben: famiglia alfa, alta probabilità di riuscita. C'è chi esita: famiglie di più bassa estrazione sociale, reddito inferiore, minori probabilità di riuscita. Una delle inservienti dice che a lei, dopo tanti anni, basta guardare come i bambini camminano per capire chi sarà un futuro alunno della prestigiosa scuola. La sola idea che possa avere ragione mi fa rabbrividire. Quindi rabbrividisco.

Anche il colore dell'uniforme è importante, dice l'inserviente. I maschi con la cravattina e la paglietta (cappellino di feltro per l'inverno), nastro colorato, le femmine con vestito e calzettoni bianchi al ginocchio e cappottini con la martingala, come se fuori sul marciapiede ci fosse Mary Poppins ad aspettarli. Eppure per gli inglesi le uniformi scolastiche sono intoccabili. Dicono che rendono i bambini tutti uguali. All'interno della stessa scuola è vero. Ma fuori è proprio il contrario, perché chiunque riconosce dalla divisa la scuola che frequenti e di conseguenza il tuo status sociale: dimmi che colore indossi e ti dirò il reddito di tuo padre, dove vai in vacanza e dove abiti. È come il postcode. Basta uno stemma cucito sul taschino per sapere se sei un upper

36

class, upper middle, middle middle, lower middle, middle class, low class, working class. Il sistema classista inglese è così variegato e composito che forse l'elenco è incompleto. D'altronde noi europei continentali facciamo fatica a capire tante cose, di questo strano paese.

I genitori escono alla spicciolata. Pioggerellina, freddo, cielo grigio. Niente di nuovo a queste latitudini, ma davanti alla scuola c'è un invitante bar che ha un buon aspetto. Sembra un posticino pulito e ben illuminato. Uno di quei rari luoghi con una vera macchina da caffè espresso. Entro e ordino. Mi siedo davanti al vetro, per vedere il passaggio sul marciapiede. Accanto a me si siede un indiano. O forse pachistano. Anche lui con il caffè e il giornale. Io ho ancora in mano il tagliandino colorato della scuola. Anche lui ne ha uno, di colore diverso. Da come è vestito e dall'aria un po' dimessa potrebbe essere l'autista di uno di quei ragazzini alfa.

È gentile, sorride e mi passa lo zucchero. Iniziamo a parlare. Fa il portiere di notte in un palazzo di uffici nella zona di Holborn. Si è preso un giorno libero per accompagnare al test il figlio, un maschio di 10 anni. È il primogenito, ci tiene a precisare. Dopo una decina di minuti so abbastanza per capire che tifo spasmodicamente per lui e per il suo figlio maschio primogenito. È due anni che il ragazzino studia per questo esame. Tutta la famiglia ha fatto grandi sacrifici per pagare il tutor che ha preparato il ragazzo, a quanto pare molto portato per gli studi. Molto "accademico", come dicono qui. Ha avuto voti altissimi, nella scuola statale di quartiere che frequenta. Le maestre gli hanno detto che potrebbe farcela a ottenere un posto alla Latymer, che tra le scuole private è la più *liberal* e mette a disposizione parecchie borse di studio. Bisogna essere dei genietti per vincerla. Due anni di ripetizioni private per sostenere il test. Rabbrividisco di nuovo.

37

L'indiano dice che è normale, lo fanno tutti. Non ho il coraggio di chiedergli quanto gli è costato. Sicuramente più di quanto potrebbe permettersi. Infatti racconta che ha chiesto un mutuo alla banca per pagare l'insegnante privato. Per un tutor per questo tipo di scuole ci vogliono in media 50 sterline per una lezione di 45 minuti. Non sono vere e proprie ripetizioni. Il lavoro del tutor è piuttosto quello di preparare ai quiz. Insegna i trucchi, spiega come evitare i tranelli e il modo giusto di presentarsi ai colloqui. Nella catena di librerie Waterstones ci sono interi scaffali di fascicoli e facsimile di quiz. L'editore scolastico Galore Park fa un sacco di soldi pubblicando manuali per preparare ai test d'ingresso. Le librerie molto fornite hanno anche i facsimile dei quiz assegnati negli anni precedenti nelle principali scuole. È un altro aspetto interessante del business.

Finisco il caffè ed esco. Spero davvero che il figlio dell'indiano sorridente vinca un posto in questa scuola. Sarebbe la svolta per lui e la sua famiglia. Un posto alla Latymer vuol dire entrare sul canale giusto. Finirebbe nella casistica delle eccezioni che confermano la regola. Gli inglesi fanno classifiche e statistiche per tutto, come se avessero la necessità fisica di mettere in ordine il caos naturale del mondo. E le loro statistiche dicono che solo il 4 per cento dei figli della working class riesce a scavalcare il muro. Quattro su cento ce la fanno, anche senza le migliaia di sterline della retta. Per gli altri non ci sono chance.

Perché nella civilissima Gran Bretagna lo studio è un privilegio e non un diritto. Sembra incredibile, eppure nella culla della democrazia occidentale e della meritocrazia non ci sono pari opportunità di accesso all'istruzione. Gli inglesi ribattono che il sistema è meritocratico, perché i durissimi test d'ingresso nelle scuole migliori selezionano gli studenti migliori. È la stessa ipocrisia delle uniformi scolastiche. Perché puoi

competere per essere tra i migliori solo se sei nel canale giusto e i canali d'istruzione sono due. Uno d'eccellenza e l'altro mediocre o pessimo. Ci sono i ragaz-
zini di serie A e quelli di serie B. La meritocrazia funziona per censo. Se sei così for-
tunato da nascere dalla parte giusta, come Ben – e gli
altri bambini bianchi, biondi, magri, che mangiano
verdure e fanno sport –, entri nel canale di serie A,
scuole di alto livello, formazione d'eccellenza, università al top, impiego e reddito di conseguenza. Se pro-
vieni dalla working class ti toccherà in eredità anche
una pessima istruzione. Gli inglesi dicono che ci vogliono tre generazioni per passare da working class
a upper class: il nonno fa i soldi, il padre grazie ai
soldi del nonno entra in una scuola privata, il figlio
ormai è nel canale giusto e ci entra di diritto. È successo anche con Kate Middleton, la borghese, discendente da una famiglia di minatori, che ha frequentato le scuole giuste dove ha incontrato il rampollo ere-
ditario della casa reale. Ma sono le solite eccezioni
che confermano la regola.

Solo il 7 per cento degli studenti inglesi può permettersi di frequentare una scuola privata. Un sistema
classista dove la maggior parte della classe dirigente e
dell'intellighenzia britannica è stata educata privata-
mente. E più precisamente il 68 per cento dei *barristers*
(i grandi avvocati), il 54 per cento dei giornalisti, il 42
per cento dei politici, il 54 per cento dei grandi manager e il 68 per cento dei giudici dell'Alta corte hanno
frequentato una scuola privata, come Ben.

Nelle classifiche, fra i 100 migliori licei del Regno
Unito, 87 sono scuole private e solo 13 pubbliche. Questi 100 migliori licei rappresentano il 3 per cento del
totale dei 3167 istituti superiori britannici. Ma non
basta: un terzo delle ammissioni a Oxford e a Cambridge, le due migliori università del Regno e le migliori europee nella top ten internazionale, viene proprio da questi 100 licei.

Ancora più allucinante è un'altra statistica che ha fatto molto discutere. Cinque super-scuole da sole mandano in media a Oxford e a Cambridge più studenti che altri 2000 istituti meno blasonati di tutto il Regno messi insieme. Di queste cinque super-scuole, quattro sono private (Eton, St Paul's, Westminster e St Paul's Girls). Ma non basta. Un buono studente con il massimo dei voti alla maturità inglese ha il 58 per cento di probabilità di entrare in una delle 30 migliori università britanniche se proviene da una scuola statale, mentre con la stessa votazione, se proviene da una scuola privata, le sue probabilità salgono al 78 per cento.

I bambini come Ben sono dei treni super-rapidi, con diritto di precedenza acquisito per censo rispetto ai torpedoni dei pendolari, carichi di figli della working class che non può permettersi le rette proibitive dell'educazione privata.

Ha smesso di piovere e mi incammino verso il fiume. Queste storie dei test, dei tutor e dei bambini con la strada segnata come i treni mi mettono sempre di pessimo umore. Voglio camminare, togliermi dai negozi e dal traffico. Imbocco il sentiero pedonale lungo il Tamigi che dal ponte di Barnes porta fino a Richmond, ai giardini di Kew Gardens. È uno spettacolo bellissimo. Ora le nuvole si sono aperte e appare l'azzurro. Nuvoloni bianchi che passano veloci, gabbiani, un'imbarcazione con quattro canottieri che remano in sincrono. Da un gommone d'appoggio un tizio con la cerata gialla e gli stivali urla il tempo nel megafono. Ci sono le chiatte cariche di materiale edile che risalgono la corrente. Sulle spallette del fiume qualche pescatore. Una giovane madre musulmana spinge il passeggino avvolta nel velo fino ai piedi. Ogni tanto si sente lo sbuffare di un tizio che fa jogging. Dietro la nuca si avvicina il *tunf tanf, tunf tanf,* le scarpe pesticciano il selciato umido. Poi sorpassa, il *tunf tanf* si allontana portato da gambe glabre così bianche che virano al verdognolo, il colore tipico delle gambe nude degli inglesi.

Il centro di Londra è un parco giochi per ricchi, penso. Sei nel mezzo dello shopping di King's Road, sei nel traffico di Hammersmith e poi basta girare l'angolo, avvicinarsi al fiume e ti ritrovi in scenari bucolici. Lungo il Tamigi è un susseguirsi di ville e candide case georgiane, con le colonne bianche, gli stucchi e il portone colorato, aiuole curatissime, stracariche di colori e il prato verde smeraldo, il cancello e il bidone della spazzatura. Non c'è una cartaccia per terra, le macchine sono parcheggiate dentro le strisce bianche, i marciapiedi sono per i pedoni e i ciclisti pedalano sulla pista ciclabile, i padroni raccolgono la cacca dei cani nel sacchettino.

Tutta questa civiltà mette quasi soggezione e stride ancora di più con l'inciviltà del sistema scolastico. Allora non siamo poi così male, penso. In Italia lo stato garantisce il diritto allo studio a tutti e le opportunità sono uguali, indipendentemente dal reddito e dalla classe sociale d'appartenenza. L'istruzione pubblica italiana, con tutte le sue imperfezioni e le sue magagne, è anni luce migliore di quella inglese e garantisce la funzione di ascensore sociale, vera distinzione tra una società democratica e una casta di mandarini.

Dov'è che il meccanismo si inceppa? Il tappo è all'ingresso nel mondo del lavoro. Anche il migliore dei laureati in Italia si scontrerà con la dura realtà fatta di corporazioni, clientele, cricche di potere, amicizie. Nessuno è giudicato per quello che vale, per quello che ha fatto e per quello che potrà fare, ma per la sua appartenenza, le conoscenze e le affiliazioni. La scuola, anche la migliore, non è il fattore determinante.

Il "Financial Times" ha definito "gerontocrazia africana" il modello italiano che ha come fine ultimo l'autoconservazione delle leve di comando in mano ai vecchi e la sistematica esclusione dei capaci e dei meritevoli dalle stanze dei bottoni, mentre si lascia spazio ai mediocri perché non sono una minaccia alla conservazione dello status quo.

Nel sistema britannico un'espressione come "familismo amorale" non è neppure traducibile e non si riesce a far loro capire il giusto significato del termine. Se ci provi ti rispondono: "Ah, mafia!". No, la mafia è un'altra cosa, cerchi di spiegare. La mafia è malavita organizzata. La mafia lascia cadaveri dietro di sé, controlla il territorio con metodi illegali. E mentre spieghi, ti rendi conto che, se pure non è la stessa cosa, il familismo e le corporazioni e quelle bande che si spartiscono i posti e il potere sono qualcosa di molto simile alla mafia. Le morti sono morali e non fisiche. Il territorio, metafisicamente parlando, è occupato illecitamente allo stesso modo. Quindi, a ben riflettere, non è così sbagliato parlare di mafia. C'è qualcosa di molto mafioso in tutta la società italiana. E allora concedi agli inglesi questa traduzione non letterale. Vada per "mafia" nelle mille variegate sfaccettature e sfumature di comportamenti immorali e illegali. Neanche un chirurgo, nel nostro paese, può fare il chirurgo se non ha l'aggancio giusto con questa o quella banda di potere (questa l'ha scritta Massimo Fini, me l'ero appuntata).

In Inghilterra è il contrario. Un vecchio proverbio anglosassone recita: "There is always room at the top". Vuol dire che c'è sempre posto in alto, perché fa comodo a tutti che i migliori raggiungano i vertici. Fa comodo alla nazione, alla società, alle singole aziende. È una regola generale che grosso modo permette di selezionare i migliori, sia nel pubblico che nel privato. La meritocrazia esiste. Anche se scegliere il migliore, come abbiamo visto, non significa dare a tutti la possibilità di diventarlo. Il migliore si sceglie nell'ambito di una cerchia di privilegiati.

Ho camminato e camminato lungo il fiume. Sono arrivata quasi fino al ponte di Chiswick. Camminare calma e chiarisce le idee. Ora le nuvole si riaddensano e si alza il vento. Tra poco pioverà di nuovo. Un contadino sta lavorando nell'orto, un piccolo fazzoletto recintato. Ce ne sono parecchi lungo il fiume, tutti in fila, divisi da piccole palizzate e protetti da reti metalliche. Due poliziotte a cavallo attraversano il sentiero. È l'ora di tornare indietro, tra un po' il gruppo E5 con tagliandino blu avrà finito il test e verrà riconsegnato alle famiglie. Spero di non incontrare all'uscita l'orribile madre di Ben, che potrebbe essere fatale per il mio ritrovato buonumore. Una volta hanno chiesto alla scrittrice Zadie Smith, madre giamaicana e padre inglese, una delle voci più nuove della letteratura multietnica, cosa farebbe se fosse sindaco di Londra per un giorno. Lei ha detto: "Fornirei gratuitamente consulenza educativa e orientamento alle famiglie che ne hanno bisogno. E cioè: spiegherei cosa devono chiedere ai professori; quale tipo di esame è il migliore per i loro figli; quali libri prendere in prestito in biblioteca; come iscriversi all'università; come passare i colloqui di ammissione e altre cose del genere".

Lei ha frequentato due scuole statali del sobborgo a nord-est di Londra dove è nata e vive, ha letto tanto grazie ai prestiti della biblioteca di quartiere ed è l'esempio di quelle eccezioni che confermano la regola.

Spero che il figlio primogenito dell'indiano abbia la fortuna di Zadie Smith, passi questo benedetto test e riesca a entrare alla Latymer Upper School e a vincere la borsa di studio. E che davanti a lui si apra un futuro radioso di gagliardetti, coppe e altri riconoscimenti, una brillante università e una carriera che riscatterà la famiglia e ripagherà dei sacrifici sostenuti per essere qui oggi. I ragazzini escono a ondate, hanno l'aria stravolta. Le madri e i padri si avventano su di loro. Vogliono sapere com'è andata.

Sogno che un giorno Ben e l'indiano primogenito

si trovino a lavorare nello stesso ufficio. E ovviamente nel mio sogno l'indiano sarà il capo e Ben il sottoposto, così da sovvertire l'ordine e far deragliare il treno delle famiglie alfa. Li cerco con lo sguardo, ma non li vedo. Mi accorgo solo ora che non gli ho chiesto il nome. Non saprò mai se ce l'ha fatta.

3.

Pay or pray

"Pay or pray," dicono. "Paga o prega" riassume l'alternativa di qualità ai costi proibitivi delle private. Benvenuti nella lotteria delle scuole cattoliche di Londra, che sono statali e gratuite. Sembra il mondo alla rovescia, eppure è così. Mediamente sono migliori delle altre statali, quindi la corsa per entrare, anche in questo caso, è all'arma bianca. Al London Oratory di Fulham, la migliore, la più famosa, quella dove mandava i figli il cattolico convertito Tony Blair, nel 2011 le domande erano 851 per 160 posti. Nel 2012 sono salite a oltre 900. Solo 1 su 5 ce la fa. Con quale criterio? Per noi neofiti è tutto da scoprire.

Nello stanzone ci sono un centinaio di persone. Il pavimento è di linoleum, grandi finestroni, tutto moderno, pulito e ordinato. Sulla parete in fondo troneggia un grosso crocifisso di legno chiaro. Le sedie pieghevoli sono ben allineate. Qui la situazione, rispetto alla privata dell'altro giorno, è più variegata. C'è qualche famiglia alfa, quelle non mancano mai. Ma poche, per fortuna. Sembrano perlopiù normali famiglie inglesi, piccola e media borghesia. Poi qualche filippino. E sudamericani, spagnoli, polacchi, francesi. Parecchi italiani e irlandesi, ovvio. È una scuola supercattolica, noi italiani siamo ben rappresentati, qui.

Davanti a me è seduta una grassona dai capelli fulvi. Scommetto che è irlandese. Capelli così rossi sono un indizio inequivocabile. La punto perché mi ricorda Agnes Browne, la strepitosa mamma dei romanzi dello scrittore irlandese Brendan O'Carroll, divertentissima, piena di vita, vedova di un ubriacone e con sette mocciosi da crescere. Se solo la grassona avesse un decimo della simpatia di Agnes, non me la voglio far scappare. Ha in collo un ragazzino, se ne trascina dietro un altro, rosso pure lui, di una decina d'anni. Ha risposto al telefono già tre volte. Dai frammenti di conversazione capisco che un altro figlio ha perso le chiavi. Lei lo liquida veloce: "Ho da fare, aspetta fuori". Se sei stupido stai al freddo, è la sintesi del concetto. Quando il telefonino squilla di nuovo, lo mette sul silenzioso e non risponde. Non è una madre alfa, di sicuro.

Il preside fa la sua presentazione. Come tutti gli *headmasters* delle scuole inglesi è molto fiero della sua creatura e delle creature che la frequentano. Tratteggia il ritratto di una scuola meravigliosa, dove tutti sono buoni e si aiutano a vicenda. Dice che qui i ragazzi vengono cresciuti nel rispetto dei valori cattolici, della fratellanza, dell'amicizia, dell'assistenza ai più deboli. Eccetera, eccetera. Nel silenzio della sala le sue parole rimbombano: "Qui vogliamo formare degli uomini a tutto tondo, e non vi aspettate che vi dia una lista dei numeri e delle percentuali di quanti dei nostri studenti ogni anno entrano a Oxford e a Cambridge. Non è quello che ci interessa, non è questo il nostro scopo. Noi siamo una scuola cattolica, e diamo la priorità ai valori".

È una mezza verità. La realtà è molto più prosaica: la maggior parte dei genitori raccolti in questa sala è molto, ma molto più interessata ai dati sugli ingressi di Oxford e Cambridge, che ai valori cattolici. Un tizio seduto accanto a me compulsa una tabella scaricata dal sito della scuola con le statistiche, le graduatorie e le votazioni di ciascun allievo, presente e passato. Gli chiedo se posso dare un'occhiata. C'è tutto. Anche la lista completa, con nome cognome e facoltà, degli studenti ammessi a Oxford e a Cambridge nel decennio 2001-2011. Il picco massimo è nel 2007, con 14 ragazzi che hanno raggiunto il top, il minimo nel 2010, con solo 3 ammessi. La media è di sei o sette ogni anno, bassa rispetto alle *top schools* private, altissima se la confrontiamo con le altre scuole statali.

L'istinto mi dice che la fulva grassona è la persona giusta per farsi dare tutte le informazioni del caso. Decido di non perderla di vista, troverò il modo di parlarle. È il momento della visita guidata alla scuola. L'istituto è suddiviso in vari edifici, occupa un intero isolato. Dentro ci stanno 1370 ragazzi. Attraversiamo corridoi, saliamo scale, perlustriamo. I nostri ciceroni sono i ragazzi dell'ultimo anno. I maschi hanno l'uniforme nera, le femmine un blazer a righe. Questa è una scuola maschile, ma la modernità inizia a fare breccia anche nel sistema scolastico inglese e gli ultimi due anni perfino all'Oratory, come in molte altre scuole unisex, arrivano le ragazze. Entriamo nelle aule, ammiriamo laboratori di tecnologia con un sacco di computer e aule di scienze piene di beccucci, provette, alunni con il camice bianco, gli occhiali di plexiglass e i guanti di gomma. Sembra di stare dentro al "Piccolo chimico". Mio figlio e quello della grassona guardano incuriositi. Mai visto niente del genere in nessuna scuola italiana. Vanno tra i banchi, si parlano. Bene, il primo passo è avviato. Agnes è alla mia portata. E infatti è lei ad attaccare discorso.

Da dove veniamo, perché siamo qui, da dove viene, perché è qui. Ci ho azzeccato a metà: non è irlandese, è inglesissima ma è cattolica e ha cinque figli, una femmina e quattro maschi che sta provando a piazzare al London Oratory. Senza nessun imbarazzo inizia a parlare di soldi. Cinque figli ai prezzi delle private di Londra significano come minimo 75.000 sterline l'anno, ossia 150.000 al lordo delle tasse. Impossibile per lei (che ha smesso di lavorare all'arrivo del terzo) e il marito, che pure è un avvocato. O riesce a trovare una scuola pubblica, o a luglio si trasferiscono in campagna, dove è più facile. La campagna inglese è piena di paesi e cittadine con buone o ottime scuole statali, sia primarie che secondarie. Dice che il marito farà il pendolare, è disposto a trasferirsi in una cintura fino a un'ora e mezzo di treno. Come abitare ad Arezzo e andare a lavorare a Roma, penso. Come fare il pendolare da Torino a Milano tutti i giorni. Ma a Londra è abbastanza normale fare *commuting*.

Per entrare in scuole tipo l'Oratory c'è ancora più ressa che nelle altre. Ogni cosa gratuita, nella città tra le più care del mondo, ha la sua irresistibile attrattiva. La scuola confessionale è il modo più economico per garantirsi un'educazione di qualità. Secondo l'Ofsted, l'agenzia di Sua Maestà che recensisce annualmente le scuole del Regno, gli istituti cattolici risultano costantemente al di sopra della media nazionale sotto ogni punto di vista (istruzione, apprendimento, cura della persona, stile di vita, sicurezza, sviluppo sociale, morale e culturale degli allievi). Anche per il cibo, seppure l'olezzo che sale per la tromba delle scale potrebbe indurre a pensarla altrimenti. Invece pare sia cibo più sano di quello che danno nelle altre statali. Secondo gli ispettori scolastici, nel 70 per cento delle scuole gestite dai cattolici la qualità dell'insegnamento e la preparazione degli alunni sono risultate superiori alla media degli altri istituti.

Il binomio di due aggettivi "gratuito" e "buono" associato alla parola "scuola" scatena nei londinesi istinti irrefrenabili. C'è davvero del miracoloso nel numero di folgorazioni religiose sulla via di Londra. Se ne sentono di ogni tipo. Atei dichiarati che dal primo anno di vita del pargolo iniziano a frequentare assiduamente la parrocchia di quartiere. Miscredenti e mangia-preti che di punto in bianco iscrivono i figli al catechismo. Cattolici tiepidi e non praticanti (quelli che prima del *finding the school* mettevano piede in chiesa solo per i battesimi, i matrimoni e i funerali) improvvisamente riscoprono un intenso interesse per le Sacre scritture, gli incontri parrocchiali e le funzioni religiose. "Pay or pray", appunto.

Continuiamo il tour guidato della scuola. I due figli vanno in avanscoperta e ogni nuovo laboratorio o palestra o piscina che incontriamo è fonte di interesse. Fra gli scaffali della biblioteca cercano subito il libro prediletto, Horrid Henry, una serie molto popolare con protagonista un piccolo Gian Burrasca britannico e si buttano sui divanetti dove sono sprofondati altri ragazzini immersi nelle proprie letture. Nell'aula di arte ci sono blocchi di creta da modellare e ogni tipo di colori. Raggiungiamo il laboratorio di educazione tecnica, una vera e propria falegnameria, con seghe, trapani e ogni possibile attrezzo professionale. Per i due è un paradiso terrestre. Agnes Browne, ormai chiamiamola così, è come mi aspettavo. Il piccolo che aveva in braccio ha raggiunto il fratello e ora sta cercando di afferrare un martello. È chiaramente entusiasta anche lui. Ho l'impressione che un buon trapano e una stanza piena di computer potrebbero convincere mio figlio anche a indossare l'uniforme e la cravatta dell'Oratory. Non ce ne sarà bisogno, come capirò presto.

La sosia di Agnes Browne mi spiega gli elementi chiave del "pay or pray". Il fatto, molto semplicemente, è che la domanda d'iscrizione a una scuola cattolica deve essere accompagnata dalla lettera di raccomandazione del parroco. Alcuni istituti hanno addirittura un modulo prestampato, che va fatto timbrare dalla parrocchia e va firmato dal sacerdote. Nella lettera si attesta che la famiglia è conosciuta, partecipa alla vita della comunità, vive secondo principi cattolici e intende educare i figli secondo questi valori, frequenta la chiesa e soprattutto santifica le feste. Hanno un'ossessione per la messa della domenica. Chi non ci va, oltre a commettere peccato mortale, non riceverà la lettera. L'importante non è solo andarci, alla messa, ma fare in modo che il parroco sappia che ci siete andati. Così ci sono parrocchie in cui, finita la celebrazione domenicale, si formano lunghe file di fedeli per stringere la mano al sacerdote (la speranza è che si ricordi di voi, quando gli porterete il modulo). Altre parrocchie, con la scusa della sicurezza, hanno installato una telecamera sul portone d'ingresso della chiesa. Così il riconoscimento dei fedeli è automatico. Poi c'è il sistema del punteggio. A chi è attivo in una *charity*, in un'attività di beneficenza o di raccolta fondi, vengono assegnati dei crediti. Se l'attività religiosa è affiancata anche da donazioni pecuniarie, tanto meglio. Va da sé che più l'offerta è generosa più sarà evidente l'impegno cattolico della famiglia e con più calore la parrocchia appoggerà la domanda di ammissione alla scuola. Tecnicamente parlando, si acquisiscono punti (esattamente come la raccolta per i premi del supermercato) per salire nella graduatoria e guadagnare posizioni nella lista d'attesa. Più laicamente, è un mercato delle vacche, neanche troppo mascherato.

Agnes Browne mi consiglia di fare un giro al Brompton Oratory, la chiesa di riferimento della scuola. Chi frequenta per almeno tre anni consecutivi la messa in questa parrocchia guadagna un punto premio in più. Non è uno scherzo. Con mio marito e i bambini, in perfetta formazione famigliare, una domenica mattina andiamo in esplorazione. Ore 11, siamo nel cuore di South Kensington. Il Brompton Oratory è una brutta chiesa ottocentesca, in stile neobarocco, piantata con tutte le sue pretese in una delle zone più chic e care della capitale, nel bel mezzo tra Harrods, Belgrave Square, Hyde Park e le vie dello shopping di lusso di Knightsbridge e Sloane Square. Parrocchia mondana, frequentata dai bei nomi dell'aristocrazia cattolica europea, è la chiesa di chi ama gli incensi e la liturgia in latino. All'offertorio, quando passa il sagrestano per la questua, i fedeli tirano fuori dal portafoglio un numerino e lo mettono nel sacchetto. Cos'è? È la prova che eravate presenti alla messa. Il Brompton Oratory è una parrocchia enorme, le celebrazioni sono tante, i preti cambiano. Così, per tenere il conto di chi c'è e chi non c'è, hanno escogitato questo interessante sistemino: la famiglia si iscrive a un registro, riceve un numero e un carnet di coupon. Ogni domenica deve consegnare un coupon con il proprio numero. Tre anni di frequentazione garantiscono i punti necessari all'iscrizione. C'è chi manda la cameriera filippina, chi dà il coupon all'amico. Nessuno dice niente. L'importante è che offerta e coupon finiscano nel sacchetto. Sennò la lettera di raccomandazione ve la sognate.

Sempre al centro di qualche polemica, il London Oratory è la scuola simbolo del perenne dibattito sui finanziamenti alle scuole confessionali nel Regno Unito. Sono pagate con i soldi dei contribuenti, ma selezionano gli studenti secondo criteri religiosi. Per i partiti laici è uno spreco di risorse pubbliche e una discriminazione intollerabile. Laburisti e liberaldemocratici tornano ciclicamente a chiedere la sospensione dei finanziamenti e la chiusura di istituti come l'Oratory. Ma ovviamente non se ne fa mai niente. E queste battaglie ideologiche non hanno impedito prima all'ex segretario del Labour party Tony Blair e poi al Libdem Nick Clegg, ateo dichiarato, di mandarci i figli. "Ho una moglie cattolica," si è giustificato quest'ultimo con l'opinione pubblica. I giornali lo hanno preso in giro: "C'è solo un argomento che il vecchio Nick può usare per difendere la scelta di mandare i suoi figli in una scuola zeppa di crocifissi, rosari e ben consunte copie del Nuovo Testamento. Viste le condizioni in cui versa il suo partito, solo la preghiera lo può salvare". Blair fece di peggio. "È un'ordinaria scuola statale," disse per minimizzare il fatto che i suoi pargoli frequentavano un istituto così esclusivo. Che l'Oratory abbia poco di "ordinario" e di popolare è evidente a chiunque. I laici del partito non gliel'hanno mai perdonato. Per dire quanto il tema sia cruciale nella cultura e nella classista società britannica, il giovane Ed Miliband, l'ultimo dei leader laburisti, al contrario ha usato la sua provenienza da una scuola statale da working class come argomento forte in campagna elettorale. "Io che ho fatto le vostre scuole e quindi capisco i vostri problemi e il vostro dolore," è stato il suo refrain. Una naturale contrapposizione all'élite del governo conservatore che proviene in massa dalle private e ha una nutrita rappresentanza direttamente dal supercollege di Eton.

E qui apriamo una piccola parentesi su Eton. Quattro lettere che racchiudono un mondo fatto di sensazioni e rituali, una vita e un'istruzione esclusive. Un mito più che un'istituzione, raccontato in saggi, film, libri di memorie. Scuola di casa Windsor, retta base dell'anno accademico 2012-2013 di 32.067 sterline l'anno (circa 40.000 euro). Si specifica "base" perché sono escluse le uniformi, i tight da giorno, i cappelli a tuba, gli abiti da cerimonia e l'abbigliamento sportivo, i viaggi e le altre spese extra. Per non parlare delle lezioni di violino, il canottaggio, il tennis, il cricket. Tutto quello che vi può venire in mente, a Eton c'è. Dal greco antico alle lezioni di mandarino. Eton è sempre in testa a tutte le classifiche, quelle che i giornali pubblicano periodicamente. E quella della Good School Guide, ovviamente. È il più prestigioso collegio del mondo, solo per maschi, che ha sfornato diciannove Primi ministri dal 1721 a oggi. Fondata nel 1440 da Enrico VI come una sorta di patronato per garantire l'istruzione a settanta ragazzi poveri, è diventata il simbolo del classismo e della stortura del sistema scolastico inglese. Da poco è entrato il primo ragazzino cinese, vincitore di una borsa di studio. È un genietto della matematica di 12 anni, figlio del gestore di un take away cinese dell'Essex. In passato ci sono stati anche il genietto palestinese strappato dalla sua bravura al destino dei campi profughi. E il genietto afghano, arrivato a Londra in fuga dai talebani. Sono personaggi simbolici, creati con cura a uso dei mass media. Hanno la giusta dose di sofferenza alle spalle per essere sbattuti in prima pagina. Il genietto svantaggiato nella stessa scuola dove hanno studiato i principini reali, William e Harry (che non risulta avessero particolari meriti scolastici), è invece la triste conferma che ricchi e nobili entrano per censo, mentre il genietto è lo specchietto per le allodole da dare in pasto alla massa per alimentare il sogno di una scuola meritocratica e aperta a tutti. A Eton le ragazze non possono entrare mai, nemmeno negli ultimi due anni, dai 16 ai 18.

Per un osservatore esterno pare incredibile che possa esistere nel ventunesimo secolo una scuola del genere. Ma chi non riesce a concepire l'esistenza di Eton non capisce l'Inghilterra, i cappellini di Ascot, l'adorazione per la regina, la passione per il giardinaggio, i cavalli e i cani, le stravaganze del principe Carlo che abbraccia gli alberi. Su Pall Mall si susseguono club per gentiluomini dove non è permesso l'ingresso alle donne e dove i gentleman si ritrovano a leggere il giornale, a prendere il tè e a bere whisky. Pure la tecnologia è bandita in questi club, telefonini e computer sono proibiti, in modo che i fastidiosi *bip-bip* non alterino la cornice ottocentesca. Una certa parte dell'Inghilterra è ferma a Phileas Fogg. Ha una sua grandiosità, se ci pensate. E una sua assurdità. Le due cose, come spesso succede in questo paese di eccentrici, non si escludono. Chiusa la parentesi su Eton.

A questo punto sarete curiosi di sapere che fine ha fatto la nostra domanda d'iscrizione. Ovviamente non ci hanno preso. Come risposta abbiamo avuto la solita perfetta, gentilissima lettera per dire che i nostri figli erano stati battezzati troppo tardi e non entro i sei mesi considerati il limite massimo per un buon cattolico. Inutile la letterina, utile invece la tabella allegata, in cui la segreteria spiegava come hanno fatto a calcolare che non avevamo abbastanza punti premio. Ormai l'avete capito, le regole e le procedure sono il fondamento dell'esistenza su suolo britannico. Ecco quindi quali sono i punteggi per ammettere gli alunni alla più esclusiva scuola cattolica di Londra. Si assegnano da 0 a 4 punti per ogni voce, secondo i seguenti criteri: ragazzi bisognosi o affidati ai servizi sociali (perfetto, niente da ridire), famiglie praticanti (con ricevuta di frequentazione della messa). Il battesimo vale 4 punti (entro i sei mesi dalla nascita), altri 4 ne vale la prima comunione (per questo la fanno in seconda o terza elementare). I genitori devono essere sposati in chiesa e poter produrre tutti i documenti religiosi in regola. Un punto premio in più se hai già un fratello dentro la scuola. Un altro punto se vieni da un'altra scuola cattolica. L'ultimo punto, spesso quello decisivo, se sei andato per tre anni alla messa al Brompton Oratory. Sinceramente siamo contenti di non essere stati ammessi con questi punti premio.

Mentre proseguo nella ricerca di scuole, un'amica italiana mi chiede se posso accompagnare sua figlia a un test a Sevenoaks. Le Sette Querce è una *boarding school* (un college) molto ambita dagli stranieri, mista e internazionale. Anche qui grande tradizione: fondata nel 1432, stemmi, gagliardetti e tutto il resto.

In una fredda e nebbiosa giornata di novembre parto con la ragazza, atterrata a Londra la sera prima. Poco stimolata dalla scuola italiana, vuole fare gli ultimi due anni in Inghilterra. È bravissima, frequenta il liceo classico, ha tutti 8 e 9. Suona il violino, parla tre lingue ed è pure sportiva. Mi fa quasi paura. Sulla carta i requisiti per vincere un posto in questa *top school* ci sono tutti. La ragazza è ambiziosa e vorrebbe pure ottenere una delle borse di studio in palio per la musica.

Dalla stazione di Paddington a Londra c'è un treno comodissimo che per 11 sterline in 55 minuti ti porta direttamente nel centro del paese di Sevenoaks, a sud di Londra, nel Kent. Poi in un quarto d'ora a piedi arrivi alla scuola. Pare un segreto per pochi intimi. Quelli che vengono in taxi da Londra li riconosci: sono già stremati dalle proverbiali code sulla M25, una sorta di Grande raccordo anulare londinese. Altri, più previdenti, sono qui dalla sera prima. Hanno dormito nel paese, ben attrezzato per accogliere una clientela internazionale facoltosa: i genitori degli studenti del college mangiano, comprano e non si fanno mancare niente. Il villaggio ha tutte le firme giuste. E poi una sequela di ristorantini etnici, dall'italiano al giapponese, dal cinese al thailandese e di localini molto posh, baretti con le tende all'esterno. Insomma non è il solito villaggio della campagna inglese, con il pub, la rivendita di whisky e la macelleria con la salsiccia appesa in vetrina. Anche il paese sembra essersi modellato per le esigenze della prestigiosa scuola.

Il ritrovo è nel refettorio della Sevenoaks School. Caffè, succhi, muffin al cioccolato o mirtillo e burrosissimi biscotti sono offerti dalla casa a genitori, accompagnatori e ragazzini. Ci saranno trecento persone. Dalle vetrate si intravede un giardino all'italiana, siepi di bosso potate con il goniometro, il vecchio edificio dove ci sono le aule e la palazzina della direzione, in pietra. Poi vialetti di ghiaia, verso i dormitori, altre aule, i laboratori, le palestre. È tutto molto raccolto e grazioso. Soliti giardinieri che ramazzano. Gruppetti di allievi con l'uniforme si muovono da un'aula all'altra scherzando o mangiando. Alle 8.30 in punto arriva un professore. Spiega le procedure, invita gli accompagnatori a tornare alle 14. Chi viene dall'estero dovrà fare anche un esame di lingua inglese, quindi alle 15. Arrivederci e grazie. Saluto la ragazzina. Ha chiacchierato per tutto il viaggio, ora è muta come un pesce e verdognola. Si chiama fifa. Le auguro in bocca al lupo, se ne va senza rispondere.

Mi si avvicina una donna italiana che non parla una parola d'inglese e chiaramente sta cercando qualcuno con cui ammazzare il tempo. Vuole andare in paese a fare qualche compera. Non ci penso nemmeno, mi sono portata un libro. Poi ho anche il computer, perché ho del lavoro arretrato da sbrigare. Devo solo trovare un posto al caldo dove piazzarmi ad aspettare.

Lei si chiama Donatella, viene da una città dell'industrioso Veneto. È categorica: "Non voglio che i miei figli studino in Italia". E perché mai?, chiedo io. Perché è un paese marcio con un'istruzione vecchia e allo sbando. Perché i professori sono dei dementi. Perché nessuno li controlla e se ne fregano degli allievi. Perché c'è un lassismo insopportabile. Perché non motivano abbastanza i ragazzi. Perché c'è un'ignoranza in giro senza pari. Perché è un paese corrotto. Non la finisce più. In dieci minuti sciorina tutte le cattiverie e le lamentele che solo un italiano è in grado di rovesciare contro il proprio paese. Possibile mai? In due anni che vivo a Londra è capitato un disastro del genere? Provo a controbattere: ai miei tempi la scuola pubblica era molto meglio della privata, considerata il porto di approdo di bocciati, fannulloni o figli di papà. Lei scuote la testa: "No, la scuola italiana è un disastro. Noi siamo in fuga. Se mia figlia entra qui, mi trasferisco anch'io". Addirittura.

Sono finita preda di un'invasata. Mi chiede di accompagnarla all'albergo dove ha passato la notte. Per fortuna è proprio di fronte all'ingresso della scuola. Si

56

chiama Royal Oak, è una tipica locanda di paese, garbata e pulita, che ai miei occhi ha almeno tre grandi pregi: è il luogo riscaldato che cercavo, c'è una wi-fi, c'è un bar. La sala ristorante infatti è un bivacco di genitori. Riconosco alcune facce già viste prima nel refettorio. Ringrazio Donatella per l'ospitalità. Lei si infagotta nel piumino, prende l'ombrello ed è pronta a sfidare il tempo inglese di novembre per cercare non so quali stoffe e altri regali da portare in Italia. A me basta un tavolo e una presa della corrente. Trovo entrambi vicino a una graziosa finestra con tendine di pizzo e tiro fuori il computer. Ordino un caffè e mi preparo alla lunga attesa.

Non posso non ascoltare la conversazione di un gruppetto di genitori italiani seduti al tavolo accanto. Il volume della voce è italiano, quindi altissimo rispetto allo standard britannico. "Non vogliamo far studiare i nostri figli in Italia." "Uno schifo." "Non c'è futuro." "Un paese moribondo." "Macché moribondo, morto." Sembra un mantra. Certo, se sono qui vuol dire che la scuola italiana non gli piace. Ma non pensavo ci fosse un clima del genere. Gli argomenti sono i soliti: istruzione allo sbando, paese allo sfascio, non è più la scuola di una volta. Eccetera. Eccetera.

Non ho alcuna intenzione di farmi coinvolgere, quindi fingo di non capire la lingua. Sono scatenati. Due vengono da una scuola internazionale di Roma. Uno da una scuola inglese di Milano, gli altri non è chiaro. "Sono tantissimi gli italiani, quest'anno. Un motivo ci sarà," dice uno dei padri, bene informato perché la figlia è al secondo tentativo. Si è segnato i dati, me li segno anch'io mentre li snocciola ai suoi ascoltatori: "Per il 2012-2013 sono 30 su 205 aspiranti, il 13 per cento. Nel 2008-2009 non c'era neppure un italiano. Nel 2009-2010 erano 3, nel 2010-2011 erano 5, nel 2011-2012 erano 9. Una progressione quasi geometrica".

Straparlano e concionano, sempre a volume altissimo, ancora per una mezz'ora e poi finalmente vanno anche loro a sfidare il vento e la pioggia in cerca di cappelli, tè rarissimi e whisky pregiati (che troverebbero alla metà al duty-free dell'aeroporto, ma non importa). Ne rimane uno, all'apparenza il meno scalmanato. Tira fuori il computer e mi chiede se gli posso prestare il mio caricatore. Sono al 90 per cento di batteria, non c'è problema. Lo scambio di poche battute è in inglese, sono ancora in incognito. Rimetto la testa sul computer, lui fa lo stesso. Passano un paio d'ore di calma assoluta. Nessun italiano nei paraggi, gli altri genitori sono silenziosamente sprofondati nelle loro letture.

Verso mezzogiorno mi rende il caricatore e insiste per offrirmi qualcosa. Vada per una birra, è quasi ora di pranzo. Ci spostiamo al bancone del bar e inizia a raccontarmi la trafila scolastica del figlio. L'ossessione non ha frontiere, penso. "Io sono australiano, mio figlio è già in una *boarding school* in Galles, ma è voluto venire qui perché è uno molto competitivo e vuole entrare in una scuola migliore. Io l'ho spinto. Sua madre è italiana, con tutti i difetti delle mamme italiane. Troppo chioccia, insomma. In sei mesi da solo qui è cambiato. Più indipendente. Responsabile. Autonomo. Non voglio che torni in Italia."

Ariecco il mantra, mi sembrava strano. Attacca: "Non c'è speranza per i giovani in Italia. Noi che possiamo permettercelo ci proviamo a dargli un'istruzione d'eccellenza. In Italia è un disastro".

L'australiano lavora per una grande multinazionale. È il tipico espatriato cittadino del mondo. Di quelli che si muovono dove li portano opportunità e promozioni. Lavora per un'importante catena alberghiera, ha già cambiato sei sedi, dal Medio Oriente al Nord America. Ora vive a Roma: "È un posto per venirci in vacanza, non per lavorare. Non voglio che mio figlio cresca in Italia. Non troverebbe lavoro. Con me lavorano persone di 32 anni che vivono ancora con la mamma. Per me è inconcepibile. Quest'estate abbiamo messo online un annuncio per uno stagista: 3 mesi a 500 euro al mese. Si doveva fare domanda sul sito, ma era tutto un telefonare per raccomandare quello e quell'altro. Incredibile. Non sono abituato a queste cose. Non voglio che mio figlio cresca in Italia". Il mantra è chiaro. La comunità di italiani che sperano di infilare i propri figli in questi gioielli dell'istruzione britannica e internazionale ha un chiodo fisso. Abbiamo capito qual è.

Mi fa tristezza questa fuga dall'Italia. Avvilita, vado a farmi un giretto per Sevenoaks. I genitori accompagnatori sono a mangiare, non dovrei fare altri incontri sconsolanti. Tira vento, la pioggia è finita ma fa un freddo cane, il cielo è sempre più basso e comincia a diventare buio. Sono le 14 e si accendono i lampioni. È deprimente. Risalgo la strada principale del paese, esco dall'ultimo gruppetto di case in pietra con trine alle finestre e i primi addobbi natalizi e torno alla scuola. Hanno riaperto i cancelli, ne approfitto per dare un'occhiata in giro. Finisco in una zona che prima non avevo visto. Apro una porta e mi trovo in un auditorium bellissimo, di legno, enorme e modernissimo, sembra design svedese, essenziale. È deserto, ma sul palco troneggia un pianoforte a coda e per terra ci sono delle sacche da sport. È l'unica zona illuminata da un faretto. Da qualche parte nell'oscurità ci devono essere ragazzi, perché sento delle voci e degli scoppi di risate. Me ne vado prima che mi scoprano. Attraverso il cortile e vedo le vetrate di un laboratorio d'arte. Questo è illuminato a giorno, ma anche qui è deserto. Dove sono tutti?, mi domando. Avanzo piano piano tra un torchio per litografie, dipinti a olio su cavalletti, cassette di legno piene di colori, acquerelli appesi ad asciugare a cordicelle tese di traverso nelle grandi stanze.

Finalmente vedo un essere umano. Una ragazzina

asiatica, avrà 16 anni e nessuna voglia di parlare, ma riesco a chiederle che ci fa lì e perché non c'è nessuno. Sta dipingendo una mela. Lei sta in piedi di fronte al cavalletto. Con la gonnellina nera della divisa, una felpa sempre nera con lo stemma della scuola, le gambe nude e un paio di scarpe da ginnastica. "Sono tutti a studiare. Tra un po' ci sono gli esami. È superstressante. Io sono qui a rilassarmi un po'. Devo finire il dipinto." Più in là, verso il muro, c'è uno sgabello alto con sopra una mela. Mi chiede se sono un genitore. Le spiego che sono lì solo per accompagnare la figlia di un'amica. "Io vengo da Hong Kong, i miei vivono laggiù." Racconta che è entrata a Sevenoaks l'anno scorso, non aveva mai vissuto in Europa ma le piace abbastanza. Divide la camera con una ragazza europea. "Non è tanto simpatica, ma neppure malissimo." "Come ti trovi?" riesco a buttare lì prima che guardi l'orologio e scappi. "Questa scuola è molto competitiva. Molto competitiva. Adesso siamo sotto stress. Scusi, ma ora devo proprio andare." Molla il pennello e si dilegua.

Gli anglofoni sono già usciti. Noi stranieri siamo di nuovo nel refettorio ad aspettare. Rivedo tutti gli italiani del Royal Oak Hotel. Parlano fitto fitto. Arriva anche Donatella, imbacuccata e piena di racconti. Non ha trovato le stoffe ma ha comprato questo e quello. Riattacca con le sue storie: "Beati voi che vivete a Londra. L'Italia è uno schifo. Un paese di raccomandati. Di fannulloni. Non voglio che mia figlia studi in Italia". Gli inservienti stanno preparando i tavoli per la cena, che sarà servita alle 17.30.

Per fortuna si fanno presto le 15. Allo scoccare dell'ora, i non anglofoni escono dall'esame d'inglese a gruppetti. Hanno la faccia più verde di stamattina. Sarà anche il riflesso delle luci al neon, che rendono il refettorio di vetro una sorta di astronave in mezzo al buio, ormai quasi totale. La figlia della mia amica e quella di Donatella sono insieme. Buffo, penso. "Com'è andata?" chiede subito la madre. La ragazzina è spigliatissima, sembra non sentire le sei ore di esami appena sostenuti. L'altra è sfatta, non dice una parola. Passa il preside. Donatella esorta: "Salutalo, fatti riconoscere". La figlia si indispettisce: "Mamma, non siamo mica in Italia. Se ho fatto bene i test mi prendono, sennò non c'è bisogno che lo saluti".

La figlia della mia amica non l'hanno presa. Dell'altra non so. Dei miei vi dirò che fine hanno fatto.

4.

Diversamente politici

Quella mattina la notizia era su tutti i giornali. E quando sono entrata nel negozio James parlava animatamente con Mohamed. Strano. James è il mio vicino di casa ed è diventato quasi un amico. Gli ho anche lasciato le chiavi, una volta che ero fuori e doveva venire l'idraulico. Un inglese tranquillo, un tipo che indossa il cardigan. Sempre pronto a scambiare due parole: disoccupato, i figli all'università, la moglie lavora. Dice che fa un sabbatico, ma è lampante che sta cercando lavoro. Dice che si è iscritto a un Master di matematica, ma perlopiù ciondola in giro. Quando sono di fretta gli faccio un furtivo gesto dal marciapiede, per evitare che mi attacchi bottone. Chi mi stupiva di più era l'altro, il pachistano. Sorride sempre, ma non parla mai con nessuno. Buongiorno, buonasera, ecco il resto, vuole un sacchetto? E me lo ritrovavo lì, a discutere con James. Di che parleranno, poi?

Lo chiamo il pachistano. Dopo ho scoperto che è iracheno, ma nel lessico famigliare rimane il pachistano, come le altre migliaia di spacci simili di Londra, aperti dalle 7 alle 23, che vendono di tutto, dalla pasta ai giornali, dal lucido da scarpe alle patatine, agli snack e alle sigarette. Però non alcolici, per via della religione musulmana. Le riviste di gossip con donne semi-nude in copertina ce le ha, ma le tiene fuori mano, nascoste nello scaffale in basso. Un colpo al business, un colpo ad Allah. Mohamed & Co. sono l'inno alla microimprenditorialità, hanno anche l'angolo dove un cugino ripara computer e schermi degli smartphone e nel locale sul retro la cognata gestisce uno sportello della Royal Mail, un piccolo ufficio postale decentrato, con annessa cartoleria e macchinetta per prelevare i contanti. Ogni tanto qualcuno di loro sparisce per andare a casa a prendersi cura della vecchia madre vedova e cercare di convincerla a trasferirsi a Londra. Impresa impossibile.

Il negozio di Mohamed & Co. è un imprescindibile snodo nella vita del quartiere. Allietato dal caffè francese con tavolini all'aperto, proprio lì accanto.

Insomma, quella mattina i quotidiani pubblicavano in prima pagina una foto di David e Samantha Cameron, Primo ministro del Regno Unito e First lady, accasciati sulle seggioline di plastica blu dell'aeroporto londinese di Stansted in attesa di imbarcarsi su un volo Ryan Air. Niente guardie del corpo, niente esclusiva saletta vip, niente imbarchi prioritari: stavano lì nello stanzone delle partenze e sembravano due normali viaggiatori low cost, un po' stropicciati, capelli in disordine e faccia stanca, muniti di un semplice bagaglio a mano.

Era la prima vacanza senza figli da quando erano entrati a Downing Street. La notizia non era che andavano a Malaga per festeggiare i 40 anni di lei, ma il "come" ci andavano. Volo low cost, vacanza mordi e fuggi in linea con la crisi, albergo con poche pretese, accurata rimozione di ogni simbolo di privilegio. Notare bene, la coppia Cameron rappresenta la vera casta, quella della upper class britannica. Samantha è figlia di Sir Reginald, ottavo baronetto di Sheffield, e per seguire il marito al numero 10 di Downing Street ha lasciato un superimpiego come *business executive* nella premiata ditta Smythson di Bond Street, agendine dalle finissime pagine azzurre e raffinata cartoleria. Lui appartiene all'antico clan scozzese dei Cameron ed è anche discendente illegittimo (la genìa proviene da un'amante di Guglielmo IV) nella successione al trono britannico. Suo padre era un banchiere, il giovane David ha frequentato Eton (alla fine si torna sempre lì, alle scuole private) e spesso è al centro delle polemiche per il giro di collaboratori e ministri di cui si circonda, tutti ex compagni di scuola etoniani, il solito circolino di maschi dell'alta società.

Quella mattina Mohamed pareva innamorato del Primo ministro etoniano che vola low cost. "Che bravo. È una cosa buona," diceva. "Mi piace. Da noi un capo di stato non lo farebbe mai." Lui è il più occidentalizzato del clan. Il fratello l'ho visto spesso con la tunica e lo zucchetto. Mohamed invece ha una divisa da negozio che credo trovi molto elegante: tuta della Nike grigio chiaro così sintetica che manda bagliori traslucidi. Non l'avevo mai sentito intervenire su cose politiche. Questo interesse dipende forse dal fatto che sta studiando per ottenere la cittadinanza britannica. Dopo cinque anni di residenza in Gran Bretagna, puoi inoltrare la domanda per sostenere l'esame di lingua e di cultura e avere il passaporto. Quindi devi tenerti informato, leggere i giornali, conoscere i personaggi pubblici inglesi, oltre a quelli storici.

Ogni tanto, specie di sera, quando il negozio è vuoto, illuminato dalla luce fredda del neon e silenzioso eccetto che per il ronzio del frigorifero, trovo Mohamed alla cassa con la testa china sul libro. Si prepara al test "The Life in the UK", 24 domande su feste comandate, ricorrenze, istituzioni, tradizioni, leggi e vita civica nel Regno Unito.

"È solo propaganda," scuoteva la testa James. "Ti fai fregare da una semplice foto. È tutto costruito. È uno specchietto per le allodole."

Non appena mi vede arrivare capisce che oggi ha pane per i miei denti. "Visto? Sono tutti uguali. Voi in Italia lo sapete bene." Lo sappiamo bene, sì. Lo sappiamo anche troppo, noi italiani residenti all'estero. Quante frecciatine e battutine sui nostri politici, sulla corruzione, sulle ruberie di stato. Che disastro è stata l'epoca del bunga bunga. Un'italiana di mia conoscenza, bel caratterino, ha mollato uno schiaffo a un collega reo di averle fatto un pesante commento su un vestitino nero: "Vai a una festa bunga bunga, eh?". Me lo aveva raccontato più amareggiata che arrabbiata. Quindi ben venga il low cost. "Sarà pure propaganda," dico, "ma è un bel segno di civiltà." "E di democrazia," aggiunge Mohamed, ben contento di lasciarmi in pasto allo sdegno di James e di tornare agli altri clienti in coda per pagare.

Pago anch'io ed esco. James si accoda trotterellando verso casa. Parte in quarta: "Voi italiani pensate che qui sia meglio solo perché Cameron vola low cost? Guarda questa foto," mi sventola il giornale sotto gli occhi. "Non ti sembra strano che non ci siano altri passeggeri intorno a lui? Sei mai stata alle partenze di Stansted? Dove sono le bande di adolescenti ubriachi carichi di zaini e sacchi a pelo? E i bambini urlanti? E l'ammasso di famigliole?"

Io non ci vedo niente di strano in quella foto. È pur sempre il premier, ci saranno motivi di sicurezza per non farlo stare in mezzo alla calca.

"Questa foto è una buffonata per rassicurarci che anche i Primi ministri, in tempi di austerity e di tagli, sono a basso costo. Il vestito che indossa Samantha da solo vale molto più del volo. Vabbe', eravamo stufi delle vacanze omaggio di Blair. Ma non siamo mica scemi. Gli inglesi che possono permetterselo volano British Airways dal Terminal 5 di Heathrow, mica Ryan Air da Stansted. È quasi un oltraggio a chi è costretto davvero a volare low cost. Vuol farci credere di essere uno del popolo. Ma lo sanno tutti che lui è la *crème de la crème* e normalmente viaggia su macchine lussuose e vive nel privilegio."

E qui è troppo. Che un inglese pretenda di fare lezione di privilegi e di inciviltà politica a un'italiana è veramente il colmo. "James, non sai di cosa parli. Il solo fatto che un politico si faccia fotografare rimuovendo i simboli del potere è buon segno. Da noi i privilegi li ostentano."

Siamo arrivati davanti ai cancelletti delle rispettive abitazioni, ma ora sono io che lo blocco ed è lui che deve starmi a sentire: Mohamed e io sappiamo di cosa parliamo. L'Italia è certamente più simile a una dittatura mediorientale che a una democrazia antica come l'Inghilterra. Sì, anche voi avete i vostri scandali e le vostre grane, ma vuoi mettere?

James, visto che non capisci niente di demagogia, populismo, caste, privilegi, tangenti, corruzione, ladrocini di stato, se vuoi ti faccio una lezione concentrata. Qui su due piedi, sul cancello di casa.

Anzi no, posa quella spesa e intanto che metto su la moka ti mostro di cosa è capace un politico italiano. Vedo che gli brillano gli occhi: ha trovato una scusa per occupare la mattinata senza fare quello che dovrebbe, ossia cercarsi un lavoro. O fingere almeno di studiare per il master.

Nella mia follia catalogatoria ho raccolto un bel po' di roba in una cartelletta, con sopra scritto a pennarello rosso "Confronti". È lo specchio della nostra vergogna nazionale. E il mio esercizio masochista quotidiano.

Apro e pesco dalla mia cartelletta. Lo sai quante sono le auto blu in Italia, James? Sono 72.000. Costano ai contribuenti italiani 1,2 miliardi di euro ogni anno. Lo sai quante sono in Gran Bretagna quelle in dotazione ai ministeri? Sono 78, gestite da una sorta di authority che le concede in uso a chi ne fa richiesta per uno specifico servizio. Si chiama Government Car and Despatch Agency e dipende dal ministro dei Trasporti che rendiconta al Parlamento con relazione annuale. Nel 2010 il parco auto complessivo ammontava a 261, nel 2011 sono scese a 195. Gli addetti sono 239 e il costo totale è di 7 milioni di sterline. Per ogni auto blu britannica, in Italia ce ne sono 369.

James mi guarda divertito. Vuole che vada avanti. E io vado avanti.

Lo sai quanto guadagna un parlamentare italiano? 16.000 euro lordi al mese, il 60 per cento in più rispetto alla media europea. In Inghilterra 66.000 sterline l'anno, meno della metà. E per di più i nostri viaggiano gratis su aerei, treni e navi, hanno le tessere omaggio per tutto. Da voi devono usare i mezzi pubblici e il taxi è permesso solo dopo le 11 di sera, se non ci sono più altri trasporti a disposizione.

E vogliamo parlare delle scorte? Il Primo ministro britannico ne ha una. Gli altri ministri? Solo alcuni ce l'hanno. Sono a geometria variabile, dipende dalle circostanze e dalle missioni che devono compiere. Kate, la moglie dell'erede al trono britannico, va a fare la spesa al supermercato e si carica le buste da sola in macchina. Certo che avrà la scorta, ma la nasconde, non la mostra come uno status symbol. Un personaggio pubblico, pagato con i soldi pubblici, fa di tutto per non ostentare. A voler essere pignoli, la famiglia reale ha ben 8 macchine di rappresentanza. Ma sai quanto costa la monarchia al suddito britannico? 63 penny a testa, 50 centesimi di euro. La regina Elisabetta, con tutti i suoi palazzi, castelli, le sue Rolls, le carrozze dorate, i cavalli, i paggetti, le livree e la coreografia di contorno costa in totale 38,5 milioni di euro. In proporzione al Quirinale dovrebbe abitare un imperatore della Galassia: ci costa 216 milioni di euro l'anno, 5 volte tanto. Il personale della monarchia britannica, tra Buckingham Palace e addetti alle proprietà immobiliari, è di 431 persone, quelli del Quirinale 1787. Ogni dipendente del Quirinale costa in media

123.670 euro l'anno. Il triplo di quelli della casa reale inglese: 43.546 euro.

E questo è solo un piccolo assaggio. Non ce la farete mai a competere con gli sprechi e il malcostume dell'Italia. Ci vuole gente del calibro di Saddam Hussein, con i suoi bagni placcati d'oro e lo zoo privato nel parco, per provarci. Per questo Mohamed mi capisce e apprezza, come me, la foto di Cameron.

James non si dà per vinto. Parla di differente moralità.

"Voi siete un popolo latino, date un peso diverso a certe cose."

Sarebbe a dire?

"Cioè, per noi i comportamenti pubblici dei politici devono essere impeccabili. Per voi c'è più margine. Siete meno bacchettoni."

Vabbe' che l'erba del vicino è sempre più verde, però James davvero non ha chiara la situazione. Ha un'idea molto romantica dell'Italia.

Sento il borbottio della moka sul fuoco. Gli porto il caffè. Dice che adora il profumo della moka. Come tutte le cose che gli inglesi associano al Belpaese: il sole, il mare, il buon vivere, il mangiar bene, l'arte, la cultura, il buon gusto, il design, le belle macchine, la Ferrari, i vestiti, la moda, il lusso. Ci amano, all'estero. L'oleografia della pizza e del mandolino e gli stereotipi del Grand Tour ottocentesco sono superati. Però continuano a pensare che se vai in Sicilia c'è la mafia e a Napoli ti scippano, e così seguono le indicazioni delle guide turistiche e lasciano l'orologio nella cassaforte dell'albergo. Rimangono atterriti dal nostro traffico e pensano che sia tutto un po' folkloristico e pittoresco. Per fortuna solo pochissimi sanno come stanno davvero le cose. È una minoranza ben aggiornata, che legge i giornali e si tiene informata sulle pagine della politica internazionale. Solo loro sanno cosa è veramente successo negli ultimi vent'anni in questo paese. Però il livello di degrado, lo sfascio morale, la diffusione dell'illegalità, il disfacimento del tessuto sociale fanno fatica a capirlo. Loro, gli stranieri, non riescono proprio a percepirlo. Noi, gli italiani, siamo talmente assuefatti da non percepirlo più. Devo lottare per dare a James una tazzina piccola e appena una nuvola di latte. Qui pensano che "caffè" sia quel mezzo litro di brodaglia servita da Starbucks e dai suoi concorrenti. Gli tiro fuori anche un cantuccino di mandorle ricoperto al cioccolato fatto in casa da un mio amico e lo conquisto definitivamente. Sfoglio i ritagli di giornale e le carte del mio fascicolo "Confronti". Potrei andare avanti per ore. Però che noia, non voglio continuare a snocciolargli dati e cifre. Tanto il concetto è chiaro, no? Gli racconto che uno dei bestseller degli ultimi dieci anni in Italia è un libro intitolato *La Casta*.

Voi inglesi potete sforzarvi quanto vi pare, ma non ce la farete mai.

Voi avete anche la lingua dalla vostra parte: "Serving as Prime Minister is a privilege for me," dice il vostro capo del governo. "Servire come Primo ministro è un privilegio per me." Da noi il *privilegio* è un'altra cosa. *Servire* poi..., mi scappa da ridere. Questa parola i politici italiani non la conoscono proprio. Hanno dei servitori, ma loro non sono certo al servizio del popolo. Da voi i funzionari pubblici sono "civil servant".

Voi avete il Question Time del mercoledì mattina, quando per un'ora il Primo ministro si presenta alla Camera dei Comuni per sottoporsi a un feroce botta e risposta con il capo dell'opposizione. Noi abbiamo quella pagliacciata delle interrogazioni parlamentari, domande precotte, risposte scritte, aula semideserta, banchi del governo imbarazzantemente vuoti, sbadigli e attenzione solo per il tablet. Una pura formalità da espletare anonimamente.

Il Question Time è una vera arena, dove il governo

è messo sotto torchio per rendere conto del suo operato. I sedili rivestiti in pelle verde sono gremiti di parlamentari, le domande sono sferzanti e il governo non può menare il can per l'aia, entra nel merito e risponde, per il principio che chi governa deve rendere conto di ogni azione ed essere pronto a giustificarla. Il dibattito è vivace, le domande sono ficcanti, le risposte concise. Spesso condite di frecciatine, battute, sense of humour. Per chiedere la parola i parlamentari si alzano in piedi. Intervengono quando è il loro turno. Nessuno interrompe. Un magnifico esercizio di democrazia. Che rende ancora più misero qualsiasi confronto con il Parlamento nostrano: un bivacco di bifolchi, nel quale si mostrano fette di mortadella e cappi di corda, qualche volta ci si mette le mani addosso e spesso ci si insulta. Stronzo, cialtrone, pezzo di merda, buffone, pagliaccio e che cazzo vuoi sono "normalità" nostrane che neanche con l'immaginazione più fervida potrebbero aleggiare nelle aule di Westminster.

Mio caro James, a Londra ho visto cose che in Italia non possiamo neppure immaginare.
Ho visto viceministri scendere dal bus a Westminster e camminare senza scorta fino a Downing Street.
Ho visto leader politici in bicicletta, con la molletta in fondo ai pantaloni per tenerli fermi e il seggiolino vuoto del bambino appena accompagnato a scuola.
Ne ho visti che la moglie gli aveva dato uno strappo in macchina.
Li ho visti attraversare la cancellata e le barriere antiterrorismo mostrando il tesserino, come impiegati qualsiasi.
Ho visto anche ministri aspettare il taxi, in piedi e in fila, con la borsa di pelle o lo zainetto sulle spalle. E l'ombrello, quando piove.
Poi una sera alla Bbc ho visto dove lavorano. Era un documentario sulla vita dentro i palazzi. Li aveva-

no filmati come nutrie nel loro habitat naturale. Però qui i parlamentari parlavano. E si lamentavano delle condizioni di lavoro. Stanno troppo stretti, in spazi angusti e vecchi. In una stanza dove ce ne sarebbero state comodamente due erano stipate quattro scrivanie, stracolme di fascicoli e carte.

Ho visto anche il servizio sulla casa dove vive il Primo ministro, dietro il famoso portoncino nero del 10 di Downing Street. E ho capito perché le mogli degli ultimi premier, tutti giovani con famiglie numerose e figli piccoli, si lamentano e avrebbero preferito stare a casa propria invece che essere costrette a trasferirsi "a palazzo" per gli impegni istituzionali. Casa loro era sicuramente più moderna e confortevole.

E poi ho visto George Osborne, il ministro del Tesoro, messo alla berlina sui giornali perché aveva parcheggiato nel posto riservato ai disabili. Di ritorno da una visita ufficiale a Cardiff si era fermato in un'area di servizio per prendere un panino da McDonald's e la sua Land Rover era stata immortalata in divieto di sosta. Una figuraccia che ha scatenato l'indignazione popolare. Così il ministro ha dovuto scusarsi pubblicamente, anche se poi aveva ragione lui: non aveva infranto nessuna regola, perché la macchina era guidata da un poliziotto e quindi legalmente autorizzato a parcheggiare ovunque, in questo caso nel posto più vicino all'ingresso, per tutelare l'incolumità del ministro. Aveva ragione, non aveva fatto niente di illegale. Ma si era scusato.

E poi ho visto il Primo ministro Cameron beccato a parcheggiare per tre ore nello spazio dove la sosta è permessa solo per 30 minuti. Badate bene, non in seconda fila, o con il lampeggiante e la scorta in contromano, come siamo abituati a vederli da noi. No. Era nelle strisce, ma senza aver fatto scattare il parchimetro. Apriti cielo. Messo alla gogna sul giornale, e di corredo alla foto c'era anche l'intervista all'immancabile testimone oculare: "Nello stesso posto io mi sono beccato una multa per aver superato i 30 minuti. So quanto è controllato in genere qui. Strano che oggi non sia passata nemmeno una pattuglia". Sospetto che ha portato il vicepresidente dei laburisti della circoscrizione dove era avvenuto il "fattaccio" a commentare: "Siamo alle solite, con Cameron e Osborne c'è una regola per loro e una per tutti gli altri". Mi verrebbe da dire che gli presterei Berlusconi e la sua gang per una settimana, tanto per capire cosa vuol dire che la legge non è uguale per tutti. Però mi sono ripromessa di non citare mai Berlusconi, perché sennò vinco troppo facile. Sarebbe una partita truccata, sarei troppo avvantaggiata.

A James la cartelletta dei "Confronti" piace molto. Sfogliamo altre storie che ho raccolto. E mentre le passiamo in rassegna, viste così tutte insieme, mi appare chiara una delle differenze principali tra l'antica democrazia britannica e la nostra, così giovane e traballante. Che in Gran Bretagna il palazzo della politica è una casa di vetro e l'etica pubblica è un valore bipartisan.

Tutto deve essere trasparente e accessibile. Ogni nota spese dei parlamentari è scannerizzata e messa in rete, così i cittadini possono monitorare il comportamento del proprio deputato. Con un semplice clic sul sito di Westminster è possibile sapere ogni uscita nel dettaglio. Pesco a caso sul web: il deputato conservatore Peter Atkinson ha speso 40,40 sterline di taxi e ha comprato 84,55 sterline di carta termica e inchiostro per il fax. Pesco ancora: il laburista Graham Allen ha speso 394,43 sterline di Royal Mail (posta e affini), 457,45 di British Telecom (spese telefoniche e affini) e 99,50 di taxi.

Idem per la dichiarazione dei redditi: guadagni e interessi finanziari sono pubblici. Sia la Camera dei Comuni che quella dei Lord tengono un registro in ordine alfabetico consultabile online con i redditi da impieghi remunerati o da professioni, proprietà immobiliari, terreni, rendite e le partecipazioni finanziarie, azioni possedute e fondi d'investimento. Un modo per monitorare le attività e gli eventuali conflitti d'interesse.

Su questo tema James è più sensibile: "Perché da voi non è così?".

No, non direi proprio. In Italia ci abbiamo provato. A parole, come al solito, tutti d'accordo. Certo, giusto, giustissimo. Ma al dunque, i politici si rifiutano di rivelare i loro patrimoni. Trovano sempre la scappatoia. L'ultima volta sono state le mogli a impedire l'accesso completo ai dati. In nome della privacy.

"In Italia c'è stato un caso miracoloso di un ministro con casa vista Colosseo pagata a sua insaputa. Roma è la città dei miracoli, non lo sapevi?"

James è abbastanza incredulo: "Dai, non scherzare!".

Non scherzo, ma non ci crede. Gli racconto il caso Scajola, ma non sono sicura di averlo convinto.

"Non è possibile."

"Tutto è possibile, nel paese dei miracoli. Siamo un popolo fantasioso, non lo sai?"

In Gran Bretagna il concetto di privacy è nettamente diverso. Tanto per capire la distanza siderale, a Londra un sito web pubblica il prezzo delle case e il giorno della compravendita. È uno strumento utilissimo per monitorare il vorticoso mercato immobiliare della capitale inglese. Cerchi l'indirizzo e il codice postale e ti viene fuori quante volte è stata venduta la casa e a quale prezzo. È una cosa normalissima e nessuno ci trova niente di strano. Solo l'idea di un sito del genere in Italia farebbe alzare una levata di scudi inimmaginabile. Ci sono i pro e i contro, ad avere meno privacy. La mia bilancia pende verso i pro.

Al catasto ogni cittadino può chiedere direttamente informazioni su qualsiasi abitazione, non solo la sua. Puoi avere la cronistoria delle ristrutturazioni, dei permessi chiesti e rifiutati, degli ampliamenti eccetera. Basta presentarsi allo sportello, e ti aprono il file. Abusivismo, condoni, sotterfugi non sono neppure ipotizzabili, con un sistema del genere. Se solo provi a pensare di aprire una finestra, ti arriva Scotland Yard alla porta. Da noi tutti i politici strizzano l'occhio all'evasore fiscale. C'è quello per cui viviamo in uno "stato di polizia tributaria". L'altro che dice che evadere è una "questione di sopravvivenza". In Inghilterra se non paghi le tasse finisci in galera. Punto e basta. L'evasione fiscale è combattuta da tutti i partiti e dalle istituzioni a tutti i livelli. L'Ufficio delle tasse britannico, l'Her Majesty Revenue and Customs, dopo aver istituito una linea telefonica con cui si possono denunciare anonimamente i furbetti, ne ha pensata un'altra. Hanno iniziato a pubblicare le foto di chi è stato condannato o è ricercato per non aver pagato le tasse o tributi di ogni genere. L'evasore alla berlina e la delazione per pubblica utilità sono due categorie che l'Italia antropologicamente non sarebbe mai disposta ad accettare.

"Sarà per questo," punzecchio il buon James, "che a Londra non si sa di gente con casa vista Hyde Park pagata a sua insaputa?"

Se non esiste per il cittadino comune, figurarsi un politico può appellarsi alla privacy. Nel registro del patrimonio e dei redditi di Westminster si può curiosare liberamente. Unica pecca, gli aggiornamenti vanno a rilento. Ma c'è da divertirsi. Per farmi un'idea apro la prima della lista, alla A di Diane Abbott, celebre leader laburista di Hackney: ha ricevuto dalla Bbc 839 sterline per la partecipazione al programma *This Week*. E per un articolo pubblicato sull'"Independent" ha incassato 250 sterline. Nel primo caso dichiara tre ore di lavoro, nel secondo due. Perché sono pagati come parlamentari, quindi dipendenti dei cittadini, ai quali devono rendere conto di come impiegano il tempo.

Sempre nello stesso registro si annotano i regali ricevuti, i viaggi premio all'estero (specificando la data, il motivo della visita, se si è volato in business class, il costo totale, per quanto approssimativo, del viaggio), le trasferte effettuate sul territorio britannico, chi è l'ospite e quale il motivo dello spostamento. Perfino Buckingham Palace è trasparente. La regina pubblica ogni anno un rapporto di oltre cento pagine con il rendiconto di tutte le spese della monarchia, comprese le più piccole, come la sostituzione di un vetro o di un water nella tenuta di Balmoral. Ci sono gli stipendi dello staff, i costi e i consumi volumetrici di gas, elettricità, combustibile per scaldare le residenze reali. Anche ogni volo o treno preso dalla regina, dal suo staff e dai membri della famiglia reale per viaggi dentro e fuori dall'isola è rendicontato nel dettaglio.

In alcuni casi, come quello di tal Sir Campbell, si rasenta il ridicolo: ha registrato un pagamento di 15 sterline per un discorso tenuto il 18 agosto del 2010 al Probus Club di Auchtermuchty. L'importo del gettone di presenza, si specifica, è stato donato in beneficenza.

Pignolerie che ci fanno sorridere. Come si sorride nel leggere il Codice di comportamento dei parlamentari di Sua Maestà, nel quale è messo nero su bianco che "sono tenuti a prendere decisioni solo in termini di pubblico interesse e non al fine di ottenere benefici finanziari o materiali per se stessi, la propria famiglia e i propri amici". Lo scrivono, capite. Scrivono anche: devono essere integri (niente mazzette), oggettivi (premiare il merito e non le raccomandazioni), responsabili, trasparenti (la segretezza solo quando lo richiede l'interesse pubblico) e soprattutto dare il buon esempio. Se ne mandassero una copia (tradotta, a scanso di equivoci) a Montecitorio e a Palazzo Madama?

"Anche da noi i deputati non sono stinchi di santo. Rubano anche qui, che credi," dice alla fine James tutto contento di poter finalmente sbandierare il "Grande scandalo" che ha scosso la loro coscienza civile. Quando un bel giorno del maggio 2009 la Gran Bretagna si è svegliata leggendo lo scoop del "Daily Telegraph" e ha scoperto che i parlamentari di Westminster, in modo trasversale e bipartisan, facevano la cresta sui rimborsi presentando alla comunità il conto per le spese personali. Una talpa di Westminster aveva fornito al quotidiano filoconservatore, generalmente moderato e poco incline al sensazionalismo, un dischetto con le note spese e il giornale ogni giorno pubblicava dieci pagine di documenti riservati. In un crescendo di indignazione e furore, il popolo britannico leggeva che i propri rappresentanti pagavano un sacco di cose con i soldi pubblici, dalle rate del mutuo alla gabbietta del pappagallo. C'era chi aveva presentato il conto del cibo per il gatto e chi per la scopa nuova, la donna delle pulizie, la potatura delle piante in giardino, la poltrona per i massaggi, pranzi e cene al ristorante, fino alle tavolette di cioccolato, bottiglie di vino e confezioni di Tampax comprate al supermercato.

James sbandiera con soddisfazione le loro malefatte. E ricorda la bufera, le dimissioni a raffica, anche di ministri (al governo c'era il laburista Gordon Brown). Per settimane non si è fatto altro che leggere di gente sollevata dall'incarico o che rimetteva il mandato. I capi dei due maggiori partiti, Labour e Tory, avevano intimato ai propri parlamentari di restituire il maltolto, cioè tutti i rimborsi la cui utilità era incerta ai fini del lavoro parlamentare. Il bello è che la maggior parte delle richieste era lecita, secondo la legge. "Legale, ma ingiusto," aveva tuonato l'allora capo dell'opposizione David Cameron. Quindi restituire, senza discutere. E dimettersi, nei casi più gravi. Perché andare a cena fuori o comprare dei cioccolatini a spese del contribuente non appare eticamente giusto.

Il paese era inferocito. Indignato dello stesso sdegno che muove il racconto di James. Per il filolaburista "The Guardian", la House of Commons ovvero la

"Casa dei Comuni" (la Camera) era diventata "La Casa dei facili costumi", un postribolo di degenerati e delinquenti. E per il "Times", filoconservatore, eravamo di fronte al "giorno più nero del Parlamento". Sdegno bipartisan. E giù, a ruota, tutti i media, per settimane: "Parlamento marcio". "Liste della vergogna." "Indecenza dentro i palazzi dell'antica democrazia britannica."

I furbetti di Westminster avevano fatto infuriare perfino la regina, mentre i tabloid tuonavano: "Sbatteli tutti in prigione". Per la verità, su oltre trecento parlamentari, dietro le sbarre ne sono finiti pochi, una decina al massimo. In pratica solo chi aveva compiuto vere e proprie truffe, per esempio chiedendo rimborsi per spese mai avvenute. Oppure quelli che, beccati con le mani nella marmellata, avevano negato, quindi mentito, quindi intralciato il corso della giustizia. Comunque tutti per piccole somme, in media sulle 10.000 sterline, ed erano stati condannati a pene severe, vista l'entità del reato: fino a 18 mesi di galera. Entravano all'Old Bailey, il tribunale, sulle proprie gambe da uomini liberi e ne uscivano nella camionetta di Scotland Yard, diretti in carcere, senza neppure passare da casa per prendere il pigiama e lo spazzolino da denti. Come delinquenti comuni. In Italia questo lo chiamerebbero "giustizialismo". Nel Regno Unito si chiama "giustizia".

James è molto fiero di mettermi sotto il naso le storie della Casta inglese. Pensa che basti una gabbietta del pappagallo pagata con i soldi pubblici per dimostrare che tutto il mondo è paese, che anche il più pulito dei politici britannici ha la rogna. Proprio come i nostri.

Lo smonto: "Vi siete tanto scandalizzati, ma sono ruberie da ladri di polli".

"Ma che dici? È stata una vergogna nazionale. Hanno infangato le istituzioni."

Tira in ballo pure le istituzioni. Mamma mia, che bisogna fare per fargli capire che non c'è storia? È incredibile. È veramente scandalizzato.

"Sì, hai ragione. Ma lo sai a quanto ammontavano le ruberie dei tuoi furbetti di Westminster? Sommando tutto si arrivava a 1,2 milioni di sterline, circa 1,4 milioni di euro. Tutti peraltro restituiti allo stato." Mi preparo a una raffica vincente. Sulle truffe dei politici siamo veramente imbattibili. Siamo a livelli di record del mondo. Gli cito solo gli episodi più recenti, tralasciando le vecchie storie di Tangentopoli e della Prima repubblica.

Da noi solo alla Regione Lazio i partiti si sono distribuiti 21 milioni di rimborsi spese in tre anni. C'era uno che lo chiamavano il Batman di Anagni, tal Franco Fiorito, capogruppo del Pdl. L'hanno accusato di essersi girato sui suoi sette conti correnti italiani e quattro all'estero 1.380.000 euro, quanto i vostri furbetti tutti insieme. Gli hanno sequestrato una Bmw da 88.000 euro, una Smart e quattordici tra case, palazzi e ville. E poi si è fatto un sacco di viaggi da sogno, in alberghi di lusso, con la fidanzata. Sempre a spese dei contribuenti, quando a Roma c'è stata una grande nevicata ha comprato una jeep Land Rover da 34.000 euro. Causale: emergenza neve. Lo sai che per la legge italiana questo bel personaggio, già condannato a 3 anni e 4 mesi, è stato arrestato e poi rimesso in libertà? Scarcerato in attesa dei tre gradi di giudizio.

James mi guarda attonito. Non ha molto da replicare.

"Dimenticavo: i consiglieri regionali hanno uno stipendio di oltre 13.000 euro al mese, più del doppio di un deputato inglese."

Vorrei raccontargli anche dello scandalo dei rimborsi alla Regione Lombardia. O di Luigi Lusi, l'ex tesoriere della Margherita, che è riuscito a far sparire dalle casse di un partito che non esiste più un malloppo di 13 milioni di euro. Ma non ce n'è bisogno, è già abbastanza sbigottito così. Sono dei professionisti della ruberia, i politici italiani. I vostri sono dei poveri dilettanti. Tampax e gabbiette del pappagallo, non c'è storia.

James ha chiaramente perso il primo round. Gli dico che se vuole continuare con il suo giochino dei "Confronti" bisogna che si prepari meglio e ci vediamo un'altra mattina. È felicissimo. Rimandiamo a settimana prossima. Stesso luogo, stessa ora. Gli do appuntamento per un'altra sfida. Sicura di vincere a man bassa.

5.

La dimissione

Quando si dice la puntualità britannica. James suona il campanello allo scoccare dell'ora stabilita. Si presenta con i giornali sotto il braccio, il solito cardigan e un pacchettino della caffetteria francese con dei deliziosi biscotti di pasta frolla. Questa volta si è documentato. Niente a che vedere con la mia cartellina dei "Confronti", ma ha portato un po' di cose con cui pensa di convincermi che tutto il mondo è paese. E l'Inghilterra non fa eccezione. La scena è la stessa dell'altra settimana. Metto su la moka, si siede al tavolo della cucina e prima di iniziare quella che chiama "la sessione", mi mostra il catalogo del famoso produttore di rose antiche inglesi David Austin. James è un esperto di giardinaggio, passione comune a tanti autoctoni, come altre per me incomprensibili: la caccia, il cricket, il gin e la famiglia reale. Mi meraviglia che un omone di tale stazza possa veramente emozionarsi per un arbusto e non si perda un'edizione del Chelsea Flower Show. È diventato membro della Royal Horticultural Society prima di prendere la patente. Quindi il suo problema di oggi è se per coprire la staccionata in fondo al giardino deve piantare una Gertrude Jekyll Climbing o una Queen of Sweden. E sono problemi, penso io, senza dirlo per non offenderlo. "Sono belle entrambe," dico invece. Ma è chiaro che non è la mia materia. Così lui inizia a parlare di terreno acido, di potature, di concimi e di altre stranezze botaniche. E su questo getto la spugna. Quando esce il caffè, ecco il solito peana all'aroma italiano. Poi parte "la sessione". James inizia subito giocando pesante e tira fuori il carico da novanta: lo scandalo delle intercettazioni illegali che ha coinvolto i giornali del magnate australiano Rupert Murdoch. Che se lo chiamano lo Squalo ci sarà un perché. Bisogna ammetterlo, il "Tabloidgate" è stato proprio un bello scandalo, con alte performance di tutti gli attori. Poliziotti corrotti, giornalisti venduti, collusione tra stampa e potere e sullo sfondo un bel conflitto d'interessi tra politica e il gruppo del tycoon mentre era in corso l'acquisto dell'emittente BSkyB da parte di Sky.

Si scopre che per anni i giornalisti di Murdoch avevano pagato agenti e funzionari di Scotland Yard per avere informazioni riservate su attori, calciatori, membri della famiglia reale, vip dello spettacolo e della politica. Ascoltavano le segreterie telefoniche, tracciavano i telefonini per seguire gli spostamenti, usavano cimici e microfoni nascosti. Pur di procurarsi uno scoop, i cronisti di News International, la filiale britannica del gruppo Murdoch, non si fermavano di fronte a nulla. Avevano anche violato le segreterie delle vittime degli attentati nella metropolitana londinese del 7 luglio e il telefonino di Milly Dowler, una tredicenne scomparsa e poi trovata morta in un bosco, dopo sei mesi di ricerche. La goccia che ha fatto traboccare il vaso.

Un tornado, più che uno scandalo. Che lambisce anche Downing Street, con l'arresto di Andy Coulson, ex portavoce e spin doctor del Primo ministro David Cameron ed ex vicedirettore di "News of the World", il tabloid di punta del gruppo, 3 milioni di copie ogni domenica, chiuso precipitosamente quando si intuisce la portata dello scandalo. E poi decine di arresti, di cronisti e poliziotti. E poi si dimettono il numero uno e il numero due di Scotland Yard e i vertici di News International. Rotola la testa di Rebekah Brooks, detta la Rossa, pupilla di Murdoch, ex segretaria dalla carriera folgorante, prima direttrice del tabloid e poi amministratrice delegata del gruppo. E poi anche di James Murdoch, presidente del gruppo, figlio minore del tycoon, delfino designato alla successione, travolto dai sospetti: sapeva quello che stavano combinando i suoi e li ha coperti.

Così, in questo turbine di rivelazioni, la Camera dei Lord chiede l'istituzione di una commissione parlamentare d'inchiesta, guidata dal giudice Brian Leveson, con il potere di obbligare testimoni eccellenti a rispondere alle domande. Niente a che vedere con le commissioni nostrane, quelle sulle stragi e sui misteri d'Italia, denaro sprecato sapendo che non si arriverà mai a niente. Qui la commissione Leveson fa sul serio. Sfilano davvero i testimoni eccellenti. Rupert Murdoch depone a Westminster. E il miliardario australiano per due giorni appare con il cappello in mano, si scusa per il comportamento dei suoi giornali. Sarà pure tutta una finta. Ma la rabbia del paese è palpabile. Tutti pretendono che si scusi e lui lo fa. Gli Squali qualche volta si scusano, i Caimani mai.

Lo scandalo delle intercettazioni illegali è stato un bell'intrigo. Strano che qualcuno non ci abbia ancora fatto un film. Materiale ce ne sarebbe da vendere. Con colpi di scena e trovate mediatiche. Tipo l'attore Hugh Grant, quello di *Notting Hill* e *Quattro matrimoni e un funerale*, che da vittima dei tabloid diventa vendicatore mediatico. Convoca uno dei cronisti che lo spiavano, si fa raccontare tutto e a sua volta registra di nascosto. Il nastro diventa una delle prove chiave. E Hugh Grant uno dei testimonial per la campagna in nome della libertà di stampa e contro Murdoch. Parla ai comitati per la trasparenza, infiamma gli animi di chi vuole vederci chiaro nelle relazioni tra stampa e potere politico. Un beniamino e portavoce di chi pensa che lo Squalo australiano per anni abbia usato i suoi giornali non solo per intercettare e fare scoop, ma anche per ricattare i vari governi e influenzare le scelte della politica.

Oggi James è in vantaggio nella gara dei "Confronti". Può dirsi soddisfatto dello scandalo delle intercettazioni illegali. Senza dubbio una pessima pagina della recente storia britannica.

E può andare fiero anche dei banchieri rapaci della City che truffavano i clienti sui tassi d'interesse ("Liborgate").

Ma peggio ancora è stato lo scandalo della pedofilia che ha sconvolto la Bbc. Una vergogna nazionale insinuatasi nella carne viva della società sotto le sembianze di Jimmy Savile, un ex dj e popolare presentatore televisivo. Star di *Top of the Pops*, entrava nelle case dei poveracci, negli orfanotrofi e negli ospedali con il programma della Bbc *Jim'll fix it* (Ci pensa Jim), dove prometteva di realizzare i sogni dei bambini malati e svantaggiati. Così buono e amato da tutti, che la regina Elisabetta l'aveva addirittura nominato baronetto per meriti filantropici.

Sir Jimmy Savile, morto ricco e famoso (il 29 ottobre 2011, per la cronaca), aveva avuto il coraggio di farsi seppellire in una bara d'oro e sulla lapide aveva fatto scrivere: "È stato bello, finché è durato".

Per lui forse, ma non certo per le sue vittime. Sepolto il divo, è emersa la verità. Ha parlato una vittima. Poi un'altra. E poi come le ciliegie, in una sequenza che appariva infinita. Il mostro non faceva più paura e una dietro l'altra le vittime hanno trovato il coraggio di parlare. Così tutto il Regno Unito ha scoperto chi era veramente Savile e cosa succedeva nei corridoi e nei camerini della "vecchia Zietta", come gli inglesi amano chiamare la Bbc.

Vacilla un mito, anzi "Il mito". Altro che Zietta. La Bbc diventa la Strega cattiva, che ha protetto per oltre cinquant'anni un maniaco sessuale seriale. Uno che ha molestato e violentato un totale di 214 persone, adulti e bambini, anche handicappati. La vittima più piccola era una bambina di 8 anni. Sembrava solo un simpatico picchiatello, capelli lunghi biondo platino, occhiali stravaganti, vestiti eccentrici, sigaro cubano perennemente in bocca, camicie sgargianti, girava alla guida di una Rolls-Royce. Era un mostro e aveva agito indisturbato grazie alla fama. Era una celebrità e i vertici della televisione di stato più blasonata del mondo sapevano e hanno fatto finta di non vedere. Dietro quell'austera immagine di perbenismo e di prestigio autorevole, dietro la migliore televisione pubblica del mondo, ci sono stati direttori di rete che non solo hanno lasciato correre (pare solo per proteggere il buon nome della Zietta, poco importa), ma hanno addirittura vietato la messa in onda di un'inchiesta sulla pedofilia condotta da *Newsnight*, uno dei migliori programmi giornalistici della Bbc, condotto da Jeremy Paxman, un altro mito della Bbc.

"Savile era un vero bastardo, ammetterai," dice James. "E la Bbc ha fatto proprio una pessima figura." È preso dalla frenesia di dimostrare che la Gran Bretagna è un posto invivibile, abitato da farabutti della peggior specie, truffatori e malandrini. La vicenda Savile l'ha particolarmente colpito. Come tutti gli inglesi di mezz'età, credo. Era un personaggio come per noi Corrado o il Mago Zurlì, che immediatamente evocano immagini nazionalpopolari e ci ricordano la *Corrida* e lo *Zecchino d'oro*. Immaginate il Mago Zurlì pedofilo seriale. E avrete la misura dello scandalo Savile.

James mi racconta che una volta l'aveva anche incontrato, quel porco di Jimmy Savile. Il destino li aveva fatti correre nella stessa maratona di Londra, per raccogliere fondi. Savile sudava sull'asfalto alberato lungo il Tamigi per una *charity* in favore di qualche ospedale per bambini derelitti. James per un'altra *charity* in Africa, sponsorizzata dal suo ufficio. Quelli che hanno dei bei lavori, a Londra, corrono tantissimo per beneficenza. Una delle tante ipocrisie di questa opulenta metropoli, dove i benestanti buttano giù la pancetta con la scusa di raccogliere soldi per i poveri del mondo. Non ho mai visto tante *charities*, raccolte di fondi, mercatini dell'usato, tombole, torte di cioccolata e muffin al mirtillo per il Sudan o Haiti come a Londra.

Vabbe', l'abbiamo appurato. Savile era un bastardo. La Bbc non è intoccabile. Westminster neppure. La City non ne parliamo. Ma a James continua a sfuggire il punto centrale per cui, in qualunque gara di confronti, la palma dell'inciviltà rimarrà sempre in mano mia. Anche alla Bbc la tempesta pedofilia ha scatenato una gigantesca operazione repulisti. Una commissione d'indagine interna ha prodotto 3000 pagine di interrogatori, email, testimonianze e deduzioni. Dipendenti, giornalisti e management sono stati messi sotto torchio. Molti dirigenti dell'azienda televisiva pubblica si sono dimessi. Ancora una volta sono rotolate teste e chi ha sbagliato ha pagato. Il direttore generale ha fatto pubblica ammenda e ha dichiarato: "La Bbc è stata aperta e trasparente nel gestire questo capitolo infelice della sua storia e adesso è importante imparare dagli errori e andare avanti per riconquistare la fiducia del pubblico".

Parole, solo forma forse. Ma anche le parole e la forma hanno un peso. Soprattutto se poi alle parole sono seguiti i fatti e le dimissioni.

Con tutti gli scandali che sta snocciolando, oggi James potrebbe chiudere la partita in vantaggio. Vista così potrei anche dargli ragione. Anche sull'isola succede di tutto, non è una prerogativa italiana.

Ma io che vengo da un paese veramente incivile,

colgo un punto che James, come tutti gli autoctoni, non vede. Perché per loro è normale. Qui le dimissioni non sono una chimera, presente solo nel dizionario. "Tanto io non mi dimetto," è la prima risposta del politico italiano. "C'è un complotto contro di me," è la seconda.

Allora stringo la mia cartelletta dei "Confronti" e mi preparo a sferrare la zampata finale.

Chiedo a James: "Cosa hanno in comune tutti i casi che mi hai citato finora?".

"Che erano criminali."

"Ok, ma poi?"

James non capisce.

Mi sento molto Agatha Christie sul punto di svelare la prova che incastrerà l'assassino. "Ok, te lo dico io. Raffiche di dimissioni, arresti, gente sollevata dall'incarico, teste rotolate. E scuse pubbliche. Murdoch ha chiesto scusa al paese. Idem i capi della Bbc. Anche i banchieri della City si sono scusati pubblicamente. Lo fanno tutti quelli che si dimettono e hanno un incarico istituzionale."

In Inghilterra anche i potenti si dimettono. E per di più si scusano, perché hanno offeso il ruolo che ricoprivano.

Ecco la grande differenza, James.

Ecco perché non sarete mai incivili come noi. Ne potete combinare quante ne volete, ma nel sistema anglosassone le istituzioni alla fine escono vincenti e paga il colpevole. Da noi è il contrario. In ogni scandalo il singolo la fa franca e spesso fa carriera. Mentre le istituzioni ne escono a pezzi. Te lo concedo: non siete stinchi di santo. Chi lo è? Ma l'antica democrazia britannica è ancora grande perché ha la capacità di individuare le mele marce, eliminarle e andare avanti.

Al tempo dello scandalo dei tabloid di Murdoch mi avevano colpito le parole del padre di Milly Dowler, la ragazzina rapita e uccisa. Il papà di Milly aveva detto: "L'inchiesta servirà al paese. Trasformiamo questo disastro in un'opportunità". Qualche tempo dopo, quando le teste rotolavano e il marcio veniva a galla, era stato il turno della madre: "Per la prima volta penso che la morte di Milly sia servita a qualcosa. Lo sapevo che la gente avrebbe detto basta a questo schifo". "La capisci la differenza, James? Possiamo anche chiudere le rispettive cartelline. Perché ogni ritaglio e ogni storia che puoi tirare fuori finisce sempre allo stesso modo."

Per la verità c'è un caso che vale ancora la pena raccontare. È la sintesi ultima del baratro che divide le due democrazie, quella britannica e quella italiana. È la storia dell'ex ministro dell'Ambiente Chris Huhne, ex numero due del Partito liberaldemocratico, multato nel 2003 per eccesso di velocità. Lui dice che alla guida era la moglie e scarica la penalità dei punti sulla patente della consorte. Poi nel 2011 scarica anche la moglie, pare perché invaghito di una donna (più giovane) del suo staff. E la moglie per vendicarsi rivela il fattaccio di otto anni prima. All'inizio Huhne nega, ma pur dichiarandosi innocente si dimette da ministro. Dice: "Per non recare danno al partito e alla coalizione di governo".

Il fatto grave, per l'etica inglese, non è tanto la multa o l'eccesso di velocità. Ma che un ministro abbia intralciato il corso della giustizia e mentito ai suoi elettori. Viene così incriminato per "ostruzione della giustizia", pena massima: l'ergastolo. Il bello viene ora. È incriminata anche l'ex moglie, in quanto complice nella menzogna. Poi, esattamente un anno dopo le dimissioni da ministro, e con l'inchiesta ancora in corso, Huhne convoca una conferenza stampa ed ecco il colpo di scena: di fronte alle telecamere ammette di essere colpevole, dichiara di aver mentito e si dimette anche da parlamentare. La storia finisce con entrambi i coniugi condannati a nove mesi di reclusione. La moglie ne ha scontati due e poi è stata rilasciata per buona condotta. Lui anche, agli arresti domiciliari, con il braccialetto elettronico e l'obbligo di stare a casa dalle 7 di sera alle 7 di mattina, come un criminale qualsiasi.

Faccio l'ultimo test al povero James, ormai senza parole.

"Se io racconto il caso di un ministro che si dimette per una multa e finisce in carcere gli italiani scoppiano a ridere. Ti sembra normale, James?"

"A me sembra normale che si dimetta e finisca in cella."

"In Italia quel ministro griderebbe al complotto. Direbbe che un politico della fazione avversaria ha manomesso l'autovelox. Che la magistratura è fuori controllo."

James riprende il suo catalogo delle rose e mestamente riconosce che non c'è storia.

"L'elettore italiano continua a farsi prendere in giro e si è assuefatto all'illegalità. Accetta qualsiasi sopruso e qualsiasi menzogna. L'elettore inglese pretende rispetto e che il ministro se ne vada," continuo.

"Sono diverse normalità e diverse moralità," dice James.

Sarà, ma io preferisco la normalità e la moralità inglesi.

6.
Tutti diversi, tutti uguali

"Brutto frocio": così hanno detto a Pierluigi mentre portava a spasso il cane al parco di Richmond, sobborgo a sud-ovest di Londra. Brutto frocio proprio no. A uno gli puoi dire di tutto, ma se tocchi preferenze sessuali, razza, religione e offendi le donne in quanto donne, qui te la passi male. Sono guai grossi, perché c'è l'aggravante della discriminazione. L'aumento della pena (fino alla metà) in caso di un reato compiuto per omofobia è in vigore in tutta l'Europa civilizzata. Da noi no. Se ne discute, si scrive e riscrive la legge, si aggiungono cavilli, codicilli. Si emenda, ma non si approva. A Londra, per capire che siamo su un altro pianeta, ogni anno viene addirittura pubblicata una lista dei 50 top manager gay o lesbiche della City (ma anche transgender e bisessuali). È un riconoscimento esplicito alla cultura liberale della capitale, un omaggio alla diversità e all'apertura mentale, visto che il miglio quadrato della City è da sempre considerato uno dei luoghi più "machi" della terra. Il messaggio è: si può avere successo e fare carriera anche facendo *coming out*.

Quindi Pierluigi quella sera prima di cena camminava per i vialetti di Richmond. Dopo le cinque, quando i londinesi escono dagli uffici, gli immensi spazi verdi si popolano di gente che fa jogging, va in bici, gioca a pallone, porta a passeggio il cane. Richmond è un parco particolarmente selvaggio, con i cervi che brucano l'erba liberi nei prati e nella stagione degli amori ti può anche capitare di assistere al combattimento dei maschi per la femmina. Colpi secchi delle corna che si urtano, uno spettacolo di potenza brutale della natura, proprio alle porte della città. A Londra il verde è ovunque. Il parco fa parte della cultura britannica. Per il verde hanno un sentimento ancestrale che si rispecchia nelle aspirazioni bucoliche di ogni vero inglese, il quale sogna solo di andare in pensione per ritirarsi in campagna, zappare l'orto e potare le rose.

Il parco è un prolungamento del loro giardino, e come tale lo trattano. Per questo i parchi sono così perfetti e ben tenuti. Nessuno si sognerebbe di buttare una cartaccia, di rovinare un'aiuola, di raccogliere i fiori. In primavera, appena esce una giornata di sole, anche se ci sono appena 10 gradi, a frotte si mettono in maglietta, pantaloni corti e infradito per il picnic al parco. È un rito sociale e transclassista. Ricchi e poveri; neri, bianchi e gialli; grandi e piccini, scoiattoli e cani. Al parco c'è posto per tutti. Stendono il plaid per terra, mangiano, bevono, cantano, suonano, giocano a palla. Giocano anche a volano, non ne avevo più visti dalla spiaggia degli anni settanta, quando eravamo bambini. Stanno tutti vicinissimi, perché, anche se i parchi sono enormi, la gente è tantissima e se arrivi tardi è difficile trovare un posto dove sedersi. Ma questo non impedisce di bivaccare senza disturbare il vicino di picnic. Poi la sera, quando ogni gruppo e famigliola arrotola la coperta e se ne va, c'è da rimanere di stucco. Non una cartaccia per terra. Non una bottiglia di sidro o vino o una lattina di birra rimane abbandonata. E di bevande, soprattutto se alcoliche, ne scorrono a litri. Ettolitri, direi.

Pierluigi è scappato diciotto anni fa dall'Italia. Omofoba allora come oggi. Ha 45 anni, due lauree e ha messo su un suo business con un'azienda di ricerche di mercato in campo farmaceutico. Lavora in 31 paesi in tutto il mondo e impiega 50 persone (14 fisse e una trentina di collaboratori). Vive tranquillo a Richmond, con il suo compagno. È una delle tante storie di successo professionale di italiani espatriati, ma non è questo che vogliamo raccontare. In fondo le storie di successo sono come le famiglie felici di *Anna Karenina*, si somigliano tutte. È pieno di italiani che hanno fatto fortuna a Londra e non c'è bisogno di spiegare i motivi, perché li conosciamo già. Tasse, burocrazia, licenze, permessi, certificati: tutto è più semplice. Si apre una società in due giorni. Per farmi autenticare una firma, non ho dovuto andare da un notaio e pagare una salata notula. O a un ufficio del comune. Basta un testimone: firmi il modulo davanti a lui, che aggiunge i suoi estremi e garantisce per te. Io il favore l'ho chiesto a Kaled, il siriano che gestisce la tintoria nella via dove abitiamo. Ho firmato sul suo bancone, tra gli sbuffi di vapore e le camicie dei clienti da stirare. Sommate il tutto alle complicazioni e ai cavilli italici, alla defatigante incertezza del diritto, alle sentenze del Tar, alle interpretazioni della Cassazione...

Ne ho conosciuti tanti di italiani che hanno fatto fortuna. Ho conosciuto Andrea, 23 anni. Era maestro di sci in Italia. La stagione invernale non gli bastava più e ha lasciato il Trentino. Nell'arco di due anni è diventato "manager" di un negozio di abbigliamento sportivo nel grande Mall di Westfield. Ho conosciuto Giulio, 19 anni, partito come pelapatate e poi sotto aiutocuoco e poi promosso tre volte in dodici mesi. E per tre volte gli hanno aumentato lo stipendio. Alla fine ha vinto il premio come migliore giovane aiutochef dell'anno della catena di pub dove lavora. Ha chiesto al capo di concentrare tutte le ore nel weekend (una ventina di ore, il minimo per potersi mantenere) in modo da frequentare un corso di gestione per ristoratori. Poi è stato preso in un ristorante di Gordon Ramsay, uno degli chef più famosi d'Inghilterra. Ho conosciuto Francesca, 32 anni, parrucchiera. Ha lasciato Roma dove lavorava per uno stipendio da fame e nessuna prospettiva. Aveva 26 anni e molta voglia di fare. A Londra ha aperto la sua piccola attività, con una socia. In sei anni i negozi di parrucchiera sono diventati tre. Ora stanno pensando di espandersi ancora e fare una succursale a San Paolo in Brasile. Ho conosciuto Vittorio, Barbara, Silvia, Mario, Enzo... Ma potrei andare avanti. Ve l'ho detto, siamo mezzo milione. Tanti hanno lasciato con il magone, gli mancava la pasta della mamma, il sole, i pomodori e la comodità della vita italiana. Ma Londra dà una chance a tutti, prima o poi. E molti di loro ormai non si guardano nemmeno più indietro.

Ma torniamo a Pierluigi, che in questa storia è al parco con il cane, come tutte le sere, da anni. Stesso parco, stesso cane, stessi sacchettini di plastica per raccogliere la cacca. Quel mercoledì di maggio il cane fa i suoi bisognini mentre il padrone parla al cellulare. L'azione di raccolta escrementi non è pronta come il solito (mille sterline di multa se ti azzardi a non pulire) e un altro abituale passeggiatore di cani gli si avventa contro: "Raccogli quella merda, pezzo di frocio, tornatene al tuo paese. Appena prendo il tuo compagno gliela faccio vedere io... Brutti froci".
Forse era tanto che aspettava il pretesto per sfogare la sua omofobia, forse aveva semplicemente la luna storta, ma la violenza è tale che Pierluigi si spaventa e chiama il 999. Al centralino, tra paura e frustrazione, spiega di essere un omosessuale vittima di attacco omofobico.
Nel giro di pochi minuti arriva la pattuglia. Sono due poliziotte. Chiedono ragguagli. È stato picchiato?

Lui dice di no, solo minacce verbali. Le poliziotte cercano di portare pace tra i due, dicono all'uno di moderare i termini, all'altro di raccogliere la cacca e se ne vanno. Forse non capiscono che Pierluigi è omosessuale. Forse pensano sia solo una bega tra padroni di cane. Comunque sia non registrano il fatto quale reato di "discriminazione", come invece prevede la legge. L'energumeno si dilegua, Pierluigi se ne va con il suo cane, ma non è tranquillo. Il parco per lui è diventato un posto poco sicuro, ha paura che l'episodio possa ripetersi e teme le minacce lanciate contro il suo compagno. Così, dopo aver consultato un'associazione per la difesa dei gay, fa un reclamo ufficiale al comando di Scotland Yard sostenendo che i suoi diritti di minoranza non sono stati sufficientemente tutelati. Il bello arriva ora. Nel giro di ventiquattro ore viene chiamato da un'altra donna poliziotta, la "gay and lesbian officer", la responsabile per i reati di discriminazione omosessuale. Dice che farà degli accertamenti. Il giorno dopo gli ritelefona: ha rintracciato le due poliziotte intervenute nel parco, le ha interrogate e sono già state ammonite perché dovevano procedere all'arresto immediato dell'aggressore e perché non hanno registrato l'incidente come reato.

Sembra tutto risolto, ma non finisce qui. Passa ancora qualche giorno e Pierluigi riceve una lettera da Scotland Yard, in cui il funzionario antidiscriminazione si scusa per il servizio carente offerto a lui, cittadino omosessuale, vittima di un crimine omofobo. La lettera è lunga e articolata. Pierluigi incredulo legge e rilegge: "La gente deve imparare quali sono le conseguenze delle proprie parole, non solo delle azioni. [...] Il primo obiettivo delle due poliziotte doveva essere quello di tutelare il rispetto e la dignità della vittima. [...] Per aver dato del frocio a un omosessuale l'aggressore doveva essere arrestato in flagranza di reato". Eccetera eccetera. Alla fine della missiva si spiega che è ancora in tempo per fare un reclamo diretto contro le poliziotte e per chiedere di perseguire penalmente il "criminale" omofobo. Cordiali saluti a nome di tutto il corpo della London Metropolitan police... "Tutto questo in Italia non sarebbe possibile," è il triste commento di Pierluigi. Tutto cosa? La sua carriera, la vicenda del parco, la lettera?, gli chiedo. "Tutto vuol dire tutto."

La Londra multiculturale, multietnica, multiconfessionale, liberal e tollerante è figlia anche di questo. Qui vive una vera babilonia di comunità etniche e religioni diverse. A Londra si parlano 307 lingue, ci sono 183 sinagoghe e 130 moschee, tanto per dare un'idea. Come fanno tutte queste persone a vivere nello stesso luogo e non massacrarsi a vicenda? Molto semplicemente, si tollerano. O meglio: sono obbligate a tollerare le differenze in un luogo dove non è tollerata l'intolleranza. Sembra semplice e pare un discorsetto molto buonista. Non è facile, eppure accade.

Con tutti i distinguo del caso, al netto di focolai islamisti, di un numero assurdo di ferite da coltello (414 al mese, di media, secondo i dati di Scotland Yard), di 250 gang giovanili che lottano per il controllo del territorio nelle periferie, bisogna ammettere che Londra è un esperimento multiculturale ben riuscito. A differenza di Parigi, dove le rivolte nelle banlieue hanno avuto un nucleo razziale e religioso ed erano concentrate principalmente nei quartieri-dormitorio periferici popolati da maghrebini, a Londra le proteste dell'estate 2011 non avevano una matrice etnica, ma sono nate nella povertà, nel disagio sociale e nella miseria.

A scendere in strada era la Londra che vive di sussidi governativi, delle ragazze quindicenni che preferiscono farsi mettere incinte per ottenere una casa popolare piuttosto che vivere per strada o in balia di famiglie violente e padri alcolizzati. Generazioni perdute, fatte di uomini disoccupati e donne sformate con

94

otto o dieci figli, più ce n'è più alto è il sussidio, che vivono alle spalle dello stato, senza nessuna speranza di rompere il circolo vizioso. Ragazzi che a 13 anni hanno il battesimo del fuoco nelle gang, a 14 comprano il primo coltello, a 15 fanno la prima rapina, a 16 entrano per la prima volta in prigione.

Questa è la Londra che i turisti non vedono. Vive principalmente nelle misere casette a schiera nei sobborghi e negli orrendi caseggiati dei *Council estates* (le case popolari), questi invece sparsi per tutta Londra. Non c'è bisogno di andare fino a Croydon, Camberwell, Brixton, Vauxhall, Peckham o Hackney per vedere questa umanità perduta. Le case popolari sono umide, scrostate, piene di scarafaggi e topi, puzzolenti e non vogliamo essere troppo dickensiani, ma la Londra dei molto ricchi e quella dei molto poveri si sfiorano e vivono talvolta gomito a gomito.

Le *Council houses* sono ovunque, perfino vicino a Westminster, a Buckingham Palace, e nei quartieri dove arabi, russi e cinesi si contendono le palazzine vittoriane a suon di milioni. A Knightsbridge, Kensington, Chelsea: ogni quartiere ha le sue case popolari, piazzate in mezzo alle dimore da 10 milioni di sterline. Una parte è stata riscattata dai proprietari ai tempi della Thatcher. Mossa esaltata dai fan della Lady di Ferro come la nascita della piccola borghesia e la creazione del ceto medio inglese. Importante fattore di stabilità sociale. Mossa biasimata dai detrattori della Thatcher perché molti dei nuovi proprietari delle case popolari hanno poi venduto le loro abitazioni ad altri ricchi e si sono trasferiti in periferia.

Comunque sia, le case popolari ci sono ancora ed è quanto è rimasto di quell'idea di *welfare state* britannico che ha dettato la linea in Europa nel secondo dopoguerra nella lungimirante idea di inglobare gli ultimi e di non relegarli ai margini della città. Lo stesso spirito che ha creato il primo servizio sanitario nazionale gratuito per tutti, il *National health service*, che ha resistito alle privatizzazioni della Lady di Ferro, anche se ormai versa in pessime condizioni ed è ridotto al lumicino. La sanità privata se lo sta fagocitando e, come per le scuole, anche la sanità pubblica in Inghilterra agonizza.

Quindi niente "brutto frocio". Ma neanche "brutto musulmano", "brutto negro", "brutto ebreo". Qui la libertà e i diritti di ciascuno (e di ciascuna comunità) trovano un limite solo nella libertà e nei diritti degli altri.

Ci sono intere zone della Gran Bretagna, soprattutto nella provincia profonda, nelle aree povere, anche nella periferia di Londra, dove la xenofobia prospera e le gang virano in versione skinhead. Uomini rasati, con pance dilatate dalla birra, vestiti con canottiere e giubbotti di pelle nera si trasformano in giustizieri in difesa dell'"inglesitudine" contro qualsiasi forma di contaminazione e di immigrazione. Lo straniero è visto come una minaccia, che scippa risorse dello stato, sfrutta la scuola e la sanità pubblica e porta via il lavoro agli inglesi. Gli episodi di violenza contro gli immigrati sono frequenti. Ma qui siamo nel campo della criminalità vera e propria.

Ogni tanto scoppiano polemiche violente sul presunto razzismo di certe istituzioni. "Un solo nero ammesso a Oxford" titolava qualche tempo fa la Bbc. L'università aveva smentito: "Solo un nero *caraibico*, in totale i neri sono 27". Smentita ancora più imbarazzante dell'accusa, perché nell'anno accademico in questione (il 2009-2010) i nuovi iscritti erano stati 2653. Va detto però che, su un totale di 16.338 ragazzi che avevano dichiarato la propria etnia nella blasonata università, gli appartenenti ad altre minoranze etniche erano un terzo (12.671 bianchi, 1477 asiatici, 1098 cinesi, 838 misti e 254 di altre etnie).

La grande differenza, al solito, è che non sarebbe neppure pensabile ricordare a un ministro il colore della pelle tirandogli addosso banane o dandogli dell'orango. Qui ogni rigurgito razzistoide e omofobico è represso sul nascere. Qui il principio per cui nessuna persona può essere etichettata o discriminata per il colore della pelle non è solo un enunciato teorico, ma è difeso dalla legge. E se certe volte il politicamente corretto è talmente corretto da rasentare il fastidio, è un fastidio che si sopporta volentieri.

E siccome in Gran Bretagna ci sono quasi 3 milioni di musulmani, la terza comunità d'Europa dopo Germania e Francia, e solo a Londra ne vivono più di un milione, ogni tanto scoppia la polemica sul velo, che è sempre un pretesto per parlare di tolleranza e di multietnicità. A Londra è normale vedere per la strada donne coperte di nero dalla testa ai piedi. Non ci si fa più caso, perché fa parte della storia di integrazione di questo paese. Mentre in Francia Sarkozy ha optato per la soluzione "laica", vietando tutti i simboli religiosi, qui si è optato per un altro tipo di soluzione, altrettanto laica, dove – appunto in nome della tolleranza – si permette a tutti di indossare quello che vogliono: turbanti, veli, croci, zucchetti. Non sarebbe pensabile un approccio diverso. Anche i più retrivi fra i conservatori non avrebbero il coraggio di vietare il velo nei luoghi pubblici. Ogni tanto fanno qualche incursione elettorale in favore del viso scoperto nelle scuole statali o nei pubblici uffici, ma si tratta di nulla più che di rigurgiti lasciati cadere prontamente nel vuoto, perché alla maggior parte dei londinesi va bene così.

Ma che fare se una donna musulmana si rifiuta di togliersi il velo in tribunale, davanti a un giudice? È successo e se n'è discusso per settimane, con il paese diviso fra stato di diritto e libertà religiosa, fra intransigenza e tolleranza. La legge è chiarissima sull'abbigliamento da indossare in tribunale: niente infradito, niente calzoni corti, niente cappelli, veli, caschi da moto, sciarpe e altre cose che occultino il volto. Ergo, niente *niqab*, il velo che lascia solo uno spazio per gli occhi (il *burqa* copre anche quelli).

Non se ne fa un problema ideologico, ma di ordine pratico: la corte deve poter vedere in faccia una persona mentre depone, perché l'espressione è importante quanto le parole. Però questa donna si rifiuta di togliersi il *niqab*, in nome del suo diritto di non mostrare il volto a estranei.

Le soluzioni sono due: arrestarla perché sta violando la legge inglese, gesto che sarebbe stato letto come una provocazione dai musulmani. Oppure permetterle di tenere il velo, gesto che sarebbe stato letto come un privilegio che discrimina le altre religioni oltre che come un insulto alla legge inglese.

Il giudice ha trovato un compromesso ragionevole, pratico: è stato deciso che la donna mostrasse il volto agli avvocati e alla corte durante la testimonianza, mentre le è stato concesso di tenere il velo durante le altre fasi del processo.

Salvo lo stato di diritto, salva la libertà individuale, confermando Londra come un laboratorio di nuove forme di convivenza. La destra xenofoba non ha gradito, in nome dell'identità culturale e del pericolo islamista. Ma il resto del paese l'ha considerata una buona soluzione, vitale per un luogo multiconfessionale come Londra.

Solo mezzo secolo fa i musulmani erano poche migliaia e la prima piccolissima moschea fu costruita nel 1866 a Notting Hill. Oggi a Tower Hamlets e a Newham, i *boroughs* che avvolgono la City a nord e verso est, ci sono 87 moschee e 27 chiese, questa la proporzione. Per non parlare degli insediamenti più antichi, come Edgware Road, vicinissima a Hyde Park e Oxford Circus, e dei musulmani di Knightsbridge. Londra cambia a grande velocità. I musulmani britannici contribuiscono alla crescita dell'economia inglese per 31 miliardi di sterline l'anno (con una capacità di spesa di 20 miliardi e mezzo). Sono 114.528 i musulmani in alte posizioni, nelle varie carriere amministrative, manageriali e professionali. Solo a Londra ci sono 13.400 attività e società create da musulmani che assicurano 70.000 posti di lavoro. Le leggi si adattano ai mutamenti veloci della società. Gli inglesi sono estremamente pragmatici, in questo senso. E c'è da scommettere che decisioni come quella sul *niqab* in tribunale faranno scuola in Europa e nelle democrazie occidentali che devono gestire società fortemente multietniche, dove le minoranze vanno tutelate e la discriminazione va combattuta.

Veli, croci, zucchetti ebraici a Londra perdono un po' il loro significato religioso e si annacquano nella varietà e diversità degli abbigliamenti. Si mimetizzano nella variegata fauna che popola la città. Sono come le creste dei punk negli anni settanta o le minigonne di Mary Quant negli anni sessanta. Tutto diventa parte integrante del paesaggio. Ci sono i sikh che guidano i taxi con il turbante. Ci sono i medici pachistani e indiani che vanno in ambulatorio con la tunica e i sandali. Ci sono interi quartieri di donne con il velo e le donne degli sceicchi del petrolio vagano dentro Harrods in *niqab*, cariche di sacchetti di Gucci e Prada.

Nel weekend è normale vedere gente in pigiama e scarpe da ginnastica, con sopra una giacca, in fila al supermercato per comprare il latte e il giornale. Ho visto uomini in ciabatte che portavano il cane a fare il giro dell'isolato. Io stessa sono uscita in camicia da notte con il cappotto per comprare il pane. Ho visto donne con i bigodini in testa all'uscita di scuola in attesa della prole. Fumavano e parlavano tranquille, come fossero dal parrucchiere.

La mattina vedi sfrecciare ragazze in perfetti tailleur grigi con ai piedi scarpe da ginnastica. Quando arrivano in ufficio tirano fuori dalla borsa il tacco 12 e gli stiletti per poi ritornare in versione maratoneta alle cinque del pomeriggio. Altri vanno in ufficio vestiti da ciclisti, con la tutina attillata, e nello zainetto tengono i pantaloni e la camicia d'ordinanza. Pedalano pieni di lampeggiatori sul casco, sulla schiena, sui pedali, sembrano alberi di Natale. Qualcuno ha anche la telecamera, per filmare la targa di chi gli taglia la strada. All'inizio sembra di stare in un paesaggio alla *Blade runner*, poi ci si fa l'abitudine.

A nessuno interessa come si vestono gli altri, non ti guardano, non si voltano neppure. Avete idea del senso di libertà che si prova a poter uscire vestiti o mezzi nudi, come vi pare? Probabile che se ti metti uno scolapasta in testa lo prendono per un nuovo modello di Stella McCartney. La streetwear nasce anche così. Perché Londra fa tendenza? Dipende anche da questo. È il mix di stili, di nazionalità, di culture. Quello che supera lo scontro si amalgama in maniera assolutamente originale. Lo sconvolgimento della normalità è parte stessa della creatività e dell'energia che questa città emana. Conosco una talent scout che cerca nuovi disegnatori e creativi per i grandi stilisti. Londra è uno dei suoi territori di caccia imprescindibili. Mi ha raccontato come funziona il sistema. E ho capito come nasce la débâcle italiana in un campo in cui dovrebbe essere invece la punta di diamante.

Le case di moda italiane dove li cercano, secondo voi, i creativi più creativi? Non in Italia, che dovrebbe essere la patria naturale di bellezza, gusto, moda e lusso. No, avete indovinato: li cercano a Londra. Li cercano nei negozietti indipendenti, dove i giovani stilisti sperimentano le loro creazioni. Li cercano nei marchi che innovano. Londra è la mecca per i giovani designer perché qui c'è tutto. Una prateria di suggestioni, basta avere le antenne per captarle.

Cinema, musical, teatro, mostre, arte di tutto il mondo convergono qui. Ma anche nei mercatini di strada. Senza bisogno di avventurarsi in luoghi troppo esotici, anche uno dei più inflazionati e turistici come

Portobello Road è fonte d'ispirazione, per chi sa dove guardare. La strada è lunghissima, ma nella zona a nord, quella verace, i turisti italiani non arrivano quasi mai. È là in fondo, nella zona etnica, dove i rasta ti offrono l'erba come fossimo negli anni settanta e il curry di pesce è cucinato per strada. È là che si trovano le bancarelle dell'usato vero, con le giacche a 2 sterline e le scarpe spaiate che qualcuno compra e poi abbina a modo suo. Il venerdì mattina, sotto il cavalcavia della Westway, è uno struscio di stilisti, fashion designer, giovani abbigliati nei modi più bizzarri, che vagano e scattano foto ai magnifici abiti vintage e alle scarpe degli anni venti. Più streetwear di così.

Di certo è anche questo il motivo per cui le due università più importanti nel campo del design, il Royal College of Art e il Saint Martins, stanno a Londra. Gli stilisti più creativi nascono qui. Le scuole interessanti sono anche a Parigi, Bruxelles e Anversa, il Polimoda di Firenze e la Bift (Beijing Institute of Fashion Technology). Ma Londra è un punto di riferimento.

Chi esce da queste scuole va poi a lavorare per le grandi maison internazionali del lusso, francesi o anche italiane. Se sei un giovane con la passione nelle vene, non stai in Italia, dove le scuole di moda non premiano i migliori per non dispiacere ai genitori dei mediocri che hanno pagato la retta. Funziona così, anche se è meglio non dirlo. Non solo i giovani scienziati, ingegneri, professori italiani scappano all'estero. Anche i cervelli della moda sono in fuga. È una diaspora. Qualcuno poi ritorna, ma pochi.

Invece al Royal College of Art o al Saint Martins non ci sono i figli di papà ed entrare è difficilissimo. La selezione è spietata e gli aspiranti arrivano da tutto il mondo. Sono coreani, cinesi, danesi, sudamericani, norvegesi. Su venti ragazzi di un corso è difficile trovarne due della stessa nazionalità. Qui si fa vera ricerca e pare strano dirlo, parlando di design e non di scienze.

Invece questa è la differenza fondamentale tra un paese che vive di rendita e vecchie glorie e uno che innova: si innova dove si portano i ragazzi a esasperare la propria creatività, a osare al massimo, a buttarsi nel vuoto. Un esempio? Topshop, il marchio per adolescenti che spopola nelle high street, ogni anno produce una delle cosiddette *capsule collections* affidate a giovanissimi. Si tratta di piccole collezioni disegnate da studenti poco più che ventenni. La migliore la mettono in produzione. Un dinamismo che abbiamo conosciuto quando in Italia eravamo una nazione creativa e coraggiosa.

Ma in Italia sono rimasti in pochi ad avere la voglia di osare. Tutti gli altri sono già espatriati. Molti anche qui, dove gli insegnano a credere in se stessi e a difendere le proprie idee. Se hai un potenziale, te lo tirano fuori. Al Saint Martins, per dire, il motto è "Be brave and do what you love": "Sii coraggioso e fa' ciò che ami".

Alla fine, gira e rigira, siamo tornati a parlare di formazione e di ricerca, e un motivo ci sarà. Perché la lingua batte dove il dente duole. Evidente che questo è sempre di più il tallone d'Achille dell'Italia.

7.
Tra rispetto e belle bambole

E non si può neppure dire a una donna: "Vatti a fare un botox". Perché è inutile negarlo: il sessismo esiste anche oltre la Manica. Pensavo che le donne italiane fossero quelle più in difficoltà in tutta Europa. Vi-
vendo a Londra non mi sono ricreduta sull'Italia, che
rimane il paese più maschilista del Vecchio continente,
ma ho aggiunto il Regno Unito alla lunga lista dei paesi sessisti. Anche a Londra le donne guadagnano meno
degli uomini. Anche qui vengono discriminate e lasciano il lavoro quando rimangono incinte. Ma con molti
distinguo e una profonda differenza.
In Inghilterra il sessismo è messo al bando come
un comportamento deplorevole. Non viene sbandiera-
to e appuntato al petto come motivo di vanto. Chi è
vittima di discriminazioni sessuali viene tutelato e chi
si comporta in modo discriminante viene punito. "L'alta definizione non ha pietà," avevano detto due capet-
ti della Bbc a Miriam O'Reilly, famosa conduttrice di
Countrylife, programma molto popolare dedicato alla
vita campestre, rimossa dal video per raggiunti limiti
di età. A 51 anni le avevano contestato di avere troppe
rughe. Non esplicitamente, ma il messaggio era chiaro: "È necessario ringiovanire il programma," era stata la motivazione palese. La O'Reilly non l'aveva presa

bene. Non aveva perso ascolti, era amata dal pubblico, non c'era motivo di farla fuori in questo modo. Soprattutto in una Bbc dove agli uomini era permesso fare qualunque cosa, come si è visto dopo lo scoppio dello scandalo sulla pedofilia. Soprattutto in un mondo dove un uomo a 50 anni è nel pieno della sua capacità lavorativa, mentre una donna di 51 deve nascondere le rughe per non imboccare il viale del tramonto. Così Miriam O'Reilly ha fatto causa alla Bbc e l'ha vinta. Quindi è stata reintegrata e i vertici dell'emittente pubblica britannica hanno chiesto scuse ufficiali e annunciato una revisione dei criteri di nomina dei presentatori. Dopo Miriam altre donne, sempre della Bbc, si sono fatte coraggio e hanno chiesto di far valere i propri diritti, denunciando di essere state messe da parte per fattori estetici e "limiti d'età". Verrebbe da commentare: purtroppo siamo nella società dell'immagine e della dittatura della giovinezza e c'è voluto un giudice per stabilirlo. Intanto però è successo, e la sentenza è stata salutata come un evento epocale. Perché mai prima nella storia del Regno Unito si era stabilito che – oltre alle discriminazioni sessuali, razziali ed etniche – si poteva parlare di "discriminazione per età". "Una nuova alba per le donne over 50" avevano titolato i giornali inglesi.

Chissà se è vero.

È vero invece che ogni frase o comportamento discriminatorio crea grossi guai. Quando due famosi commentatori sportivi ironizzarono su una collega ("Quella di calcio non capisce niente, come tutte le donne") furono licenziati con infamia bipartisan. Lo stesso è capitato a un Rino Tommasi locale, tal John Inverdale, che ha avuto il cattivo gusto di fare apprezzamenti sull'aspetto fisico della tennista francese Marion Bartoli, vincitrice a sorpresa, a 28 anni, del singolare di Wimbledon 2013. "Mi chiedo se il padre della Bartoli, la persona più importante della sua vita, le abbia mai detto, quando era piccola: non diventerai una bellezza, non sarai mai una Sharapova... Per avere successo non ti resta che diventare la combattente più dura e determinata sul campo." Nel giro di pochi minuti la Bbc è stata tempestata di telefonate e Twitter intasato di messaggi di insulti e accuse di sessismo. Inverdale è stato ammonito, anche se non costretto a dimettersi. Ha scritto una lettera di scuse alla tennista. La Bbc e lo stesso telecronista si sono pubblicamente scusati. La figura migliore l'ha fatta Marion Bartoli, con una risposta secca e semplice: "Non sono bionda, e questo è un fatto. Sognavo un contratto da modella? No. Mi spiace. Ho sognato per tutta la vita di vincere Wimbledon? Assolutamente sì. E ne sono molto fiera. E sono fiera di aver condiviso questo momento con mio padre".

Nel bivacco di trogloditi che è diventato il nostro Parlamento, dove abbiamo avuto come ministre ex vallette televisive ammirate per i tacchi e gli scolli e dove all'inizio di ogni legislatura si vota Miss Parlamento, il sessismo non è neppure considerato una questione da affrontare. Sembra che un'indecenza nazionale sia ormai una variabile inevitabile, al punto che lo abbiamo ormai incasellato come fattore ambientale dalle parti di Montecitorio e Palazzo Madama. C'è, esiste, non vale la pena neppure più scandalizzarsi. Volano epiteti di ogni genere e niente accade se uno urla "falla stare zitta, quella handicappata del ca**o", "taci, rincoglionita", "lesbica di merda", o se le deputate vengono apostrofate come "puttane" o "belle bambole". Se qualcuno dice "ciao bagascia" o butta lì un "fatti scopare", non si crea neppure un leggero scompiglio istituzionale.

I rituali di Westminster seguono altre regole. Quelle della normale convivenza civile. Normale, niente di più. Una volta il capo del governo conservatore David Cameron, infastidito dalle precisazioni della deputata dell'opposizione laburista durante un suo intervento al Question Time sulla riforma sanitaria, le ha detto: "Calm down, dear. Calm down and listen to the doctor," ovvero: "Stai calma, cara. Stai calma e ascolta il dottore". Non l'avesse mai fatto. Il Question Time ha una sua gestualità collaudata da decenni. Maggioranza e opposizione stanno sedute di fronte, il Primo ministro o il ministro interpellato è in piedi appoggiato a un banco di legno. I deputati commentano e sottolineano la discussione con scrosci di risate, mormorii, applausi o mugugni di disapprovazione. Chi vuole intervenire si alza in piedi e aspetta che lo speaker della Camera dei Comuni gli dia la parola.

Quel giorno i deputati laburisti hanno iniziato a rumoreggiare, la seduta è stata interrotta e lo speaker è stato costretto a intervenire per sedare gli animi, cosa alquanto insolita. Solo i Tory più maschilisti approvavano con lazzi e risate, mentre gli altri erano in profondo imbarazzo.

Ma Cameron fa parte di quella genìa di maschi inglesi da "Bullingdon", il circolo degli studenti aristocratici di Oxford, molto goliardici e un po' teppistelli, viziati e dediti all'alcol, abituati a ragionare tra maschi, che la battuta supponente verso la donna ce l'hanno nel Dna. E infatti dopo pochi mesi ci ricasca con Nadine Dorries, deputata del suo stesso partito. "Lo so che sei terribilmente frustrata," le dice per zittirla. Sono cose che sulle rive del Tamigi non si possono fare, non sono tollerate. Cameron ha poi chiesto scusa, ha detto che rispetta profondamente le donne. Che se gli capita di dire cretinate non è per disprezzo. Ma dopo le sue uscite i sondaggi lo davano in picchiata tra l'elettorato femminile. Che chiaramente non è molto propenso a dare fiducia a bruti senza rispetto. Figurarsi.

Qualcuno, i soliti scettici, di fronte a questi argomenti tirano fuori la famosa pagina 3 del "Sun". Ogni giorno, dal novembre del 1970, il tabloid londinese pubblica una modella in topless a piena pagina. Sono ragazze in cerca di visibilità, aspiranti attrici, modelle, anche persone comuni, come commesse, infermiere. Il "Sun", di proprietà del magnate australiano Rupert Murdoch, vende 2,5 milioni di copie; la pagina della tetta ha contribuito al suo successo e da sempre ha suscitato polemiche, spaccando l'opinione pubblica tra chi la ritiene indegna di un paese civile e chi la considera niente più che un'"innocua tradizione britannica". Ogni tanto partono campagne per la sua abolizione, ci sono mobilitazioni di movimenti femminili, indignazioni. Ma la pagina 3 è sempre lì. Ai soliti scettici va ricordato che la pagina 3 è all'interno di un giornale di gossip che vive di scandali, notizie sensazionalistiche, calciatori, modelle e celebrità. Il "Sun" non è "L'Espresso" o "Panorama", che fino a tutti gli anni novanta (quando erano i due più diffusi magazine di politica) hanno sbattuto ragazze nude e ammiccanti in copertina, che si parlasse di petrolio o di bollette del telefono. Se l'"Economist" avesse fatto lo stesso, gli inglesi si sarebbero chiesti quanto aveva alzato il gomito il direttore. Ma una seconda copertina non ci sarebbe stata.

Poi c'è chi obietta: ma anche a Londra le ragazze vanno in giro nude. E questo cosa significa? Questo non è sessismo. Ogni ragazza è libera di svestirsi e di conciarsi come crede. Il sabato sera ti viene freddo a guardarle, quelle frotte di adolescenti con minivestitini anche a gennaio. Hanno le gambe violacee e si riempiono di alcol per riscaldarsi, ma questo non ha niente a che fare con il sessismo. Londra è il posto meno bacchettone del mondo. Nelle discoteche e nei locali notturni ci si scatena. Ci sono bordelli e spogliarelli di ogni tipo e per ogni gusto sessuale. Scambiare questo per sessismo è non aver chiaro il problema.

Il sessismo ha a che fare con la discriminazione. Ha a che fare con l'idea di donna tipicamente italica, per cui l'aspetto fisico è parte del curriculum. A nessuno verrebbe in mente di mandare in onda *Miss Great Britain* su Bbc1 in prima serata. Un concorso di bellezza non lo stigmatizza nessuno, basta che rimanga quello che è, non l'unico trampolino per trovare un lavoro. I *Grandi Fratelli* e *X Factor* producono personaggi similari alle nostre veline. Ma nessuno li manda in Parlamento o si sogna lontanamente di candidarli per qualche carica pubblica. La discriminazione è quando una donna viene licenziata perché incinta. O viene mobbizzata perché donna. O quando, a parità di mansioni, viene pagata meno di un uomo. Pratica comune in Italia e diffusa anche in Gran Bretagna. Ma a Londra il ministero per le Pari opportunità compie azioni concrete per favorire nei settori pubblici tutte le categorie socialmente più deboli: neri, gay e ovviamente donne. Così è partita la campagna della cosiddetta *positive action*. Obiettivo: far sì che entro il 2015 la metà dei nuovi dirigenti nel settore pubblico sia donna. Non si tratta delle tante discusse quote rosa, ma di una "azione positiva" per cambiare la mentalità sui posti di lavoro. Ossia, a parità di esperienza e competenze, si incentiva deliberatamente ad assumere una donna piuttosto che un uomo. Lo stesso vale per un gay rispetto a un eterosessuale e un nero rispetto a un bianco. Nello stesso pacchetto di misure si invitano le aziende a rendere pubblici gli stipendi e si ventilano multe per chi contravviene.

Ma in quanto a donne, una piscina pubblica inglese racconta molto più di qualsiasi statistica Ocse. Racconta per esempio perché le donne italiane hanno sempre meno tempo libero rispetto alle altre donne considerate nelle statistiche. Prima i numeri e poi la piscina. L'ultima edizione di "Society at a Glance" (il rapporto sociale annuale dell'Ocse) conferma la disfatta delle italiane su tutti i fronti: i dati negativi sono sempre più negativi (solo il 46,6 per cento lavora, contro l'80 per cento della Norvegia e sorpassati in peggio solo dalla Turchia con un 24 per cento). Soprattutto colpisce il tempo: erano 81 minuti e mezzo quello che le donne lavorano di più al giorno. Adesso si scopre che le ore di lavoro non pagato sono addirittura 3,4 al giorno (peggio solo le messicane, le turche e le portoghesi). Il che non significa, badate bene, che le donne italiane puliscono la casa e cucinano per 3 ore e 40 minuti al giorno più degli uomini. Questi 220 minuti in più al giorno sono impiegati in lavori non retribuiti, soprattutto quelli di cura, tipo accompagnare i figli a scuola o agli sport del pomeriggio, fare i compiti con loro o accudire famigliari malati o anziani genitori.

Fin qui le cifre, che dicono molto ma non spiegano tutto. La piscina, invece, è un bell'esempio di come alle donne inglesi manca assolutamente la caratteristica principale delle italiane: il senso di colpa.

Qui, non appena è in grado di sorreggersi sulle proprie gambe, la prole viene lasciata al suo destino. Che sia dentro uno spogliatoio o per la strada. A 8 anni i bambini vanno da soli a scuola, a piedi o con il bus. Non è che Londra sia meno pericolosa di Milano o Roma, per dire. Eppure qui li mandano e così imparano a essere autonomi fin da piccoli.

Dicono che gli inglesi sono sporchi. In parte è vero. In parte è che non sono interessati al tema. Camminare scalzi per la strada è un'opzione quando si sono dimenticate le scarpe. In piscina ho visto cose che farebbero rabbrividire qualsiasi madre italica. I capelli non si asciugano, nemmeno quelli lunghi delle bambine, nemmeno con la neve e 2 gradi sotto zero. Quando hanno finito escono dagli spogliatoi direttamente in pigiama, con le Crocs ai piedi o anche in infradito. Con la bella stagione, qualcuno va a casa in costume e ciabatte, con sopra l'accappatoio. Le madri aspettano con un libro o un giornale, leggendo o chiacchierando tra loro. Alcune hanno la cena pronta dentro vaschette di plastica. Altre comprano qualcosa al bar per 5 sterline: tra le 17.30 e le 18.30 la sala d'aspetto diventa una sorta di mensa. I bambini in pigiama, con i capelli bagnati e a tracolla la borsa piena di indumenti fradici mischiati ai libri di scuola, mangiano fagioli annegati nel pomodoro, carne e patatine fritte. Poi si mettono il giubbotto e via a casa, dove arrivano già pronti per essere infilati a letto. Non è una stravaganza da inglesi. Una piscina pubblica è frequentata da una sessantina di etnie, comprese donne arabe velate, pachistani, indiani, russi e altre strane razze slave dalle parlate indecifrabili, francesi, finlandesi, polacchi, africani e chissà quanti altri. Tutti, alla fine, cercano una sola cosa: rendersi la vita più semplice, e lo fanno senza sensi di colpa. Anche questo, a suo modo, è una via per combattere il sessismo.

8.

Regole e code

È venuto a cena un amico italiano che detesta gli inglesi. Chiamiamolo Gino, va', così poi non ci litigo. Dice che sono ottusi, con tutte le loro regole, le ossessioni per l'ordine e le procedure. Gli piace provocare: "Io sono un uomo del Sud, amo il caos mediterraneo. Più creativo, allegro, vitale". Una discussione fatta tante volte. È un classico quando ci sono italiani. Si vede che proprio ci bruciano, certi argomenti. I commensali si dividono in due fazioni. Caos contro regole. Creatività contro ottusità. I soliti stereotipi, ma inevitabili. Gli stereotipi, a modo loro, sono uno specchio della realtà. Questa volta la voglio avere vinta, vediamo come andrà a finire.

Si comincia a discutere che siamo al primo. "Gli italiani sono costretti a essere creativi per bilanciare le carenze del sistema." "Macché, il sistema è carente anche in Inghilterra. Ti fai abbagliare dalla forma, mentre è solo apparenza. Sono incivili come noi." Ognuno ha la sua esperienza da raccontare. Gli animi dei commensali si scaldano. "Sono così ottusi che una volta l'ambulanza si è fermata prima di entrare in ospedale perché il modulo per il ricovero non era compilato bene." "Non hanno elasticità. Se non è scritto nel protocollo vanno nel panico." "Un italiano lo riconosci, perché risolve il problema. Qui zero fantasia, sono programmati per seguire la procedura." "Sì, ma qual è il limite tra fantasia e furbizia?"

In situazioni del genere mi diverto ad aizzare le fazioni. Alla fine è sempre la storia dei guelfi e ghibellini, lo sport nazionale. Se c'è da fare il bastian contrario non mi tiro indietro. Eccomi qua, Gino, a noi due. Nel dilemma senza fine tra l'etica nordica della società protestante e il machiavellismo mediterraneo e cattolico, io vesto il saio della calvinista. Esagero apposta, per indispettire il Gino di turno. Però di alcune cose mi sono davvero convinta, guardando l'Italia dall'estero. Per esempio, sono diventata una fan delle proverbiali code inglesi.

"Voi non capite," butto lì in mezzo alla tavola, mentre affondo il coltello nella torta pasqualina, "che la coda rende l'uomo libero."

I difensori del caos mediterraneo mi guardano come si guarda una pazza.

"Sembra un paradosso," continuo, "ma è proprio così. L'essere umano che rispetta la coda è un essere libero."

Sarà per questo che adoro stare in fila in Inghilterra. Inizio a godere già all'aeroporto, nel serpentone del controllo passaporti. E sapete perché? Ci ho messo un po' per capire come mai mi piacciono le code di Londra, mentre detesto quelle in Italia. Adesso mi è chiarissimo: lo stress vero non è aspettare, ma verificare di continuo che qualcuno non si infili davanti. Sono il sopruso e l'ingiustizia a irritare, molto più dell'attesa. Invece è così rilassante avere la certezza che nessun furbetto cercherà di passarti avanti.

Quindi tu stai lì, magari ti sei distratto, pensi ai fatti tuoi, leggi, spippoli sul telefonino e di colpo ti senti picchiettare sulla spalla: "È il tuo turno, dolcezza". Tranquilli, dolcezza lo dicono a tutte le donne, senza malizia. In una coda, passata la mezz'ora, sei una dolcezza anche oltre gli ottanta, per capirci.

"Un inglese, anche se è da solo, forma una normale coda di una persona," ha scritto un umorista indigeno. All'ingresso del cinema, alla fermata del bus, ai tornelli della metropolitana: la coda è sacra e nessuno si sogna di profanarla. Tutti in fila per uno, ordinatamente in attesa del proprio turno. Gli autoctoni ce l'hanno nel sangue. Gli immigrati lo imparano velocemente, pena il linciaggio fisico e morale. Pare incredibile, ma perfino i turisti italiani si mettono in fila, uno dietro l'altro, non appena scendono dalla scaletta dell'aereo come "ispirati" dall'aria che respirano. Sono gli stessi che in patria si accalcavano sgomitando all'imbarco nel tentativo di guadagnare una posizione.

La regina di tutte le code si chiama The Queue, La Coda, con la maiuscola. Prende forma ogni anno, dal 1922, in Church Road, l'ultima settimana di giugno e la prima di luglio, fuori dai cancelli di Wimbledon. Ti pare che me la facevo scappare? Neanche per idea. Con la prima corsa della metropolitana, fermata Southfields, si arriva in tempo per vedere gli inservienti in giacca, cravatta e tradizionale cappello che iniziano a dirigere il traffico dei "codanti". Alle 6 sono loro a suonare la sveglia per chi ha passato la notte in tenda. Qui, in questo prato, fuori dai cancelli del tempio del tennis, ci sono gli accaniti. Stanno in coda anche cinquanta ore pur di aggiudicarsi un biglietto per il Centrale e i campi numero 1 o 2. Facce assonnate, gente che gira con lo spazzolino da denti e l'asciugamano diretta verso i bagni. Hanno tempo fino alle 7 per liberare il prato dall'accampamento e lasciare spazio ai codanti giornalieri, quelli che si accontentano dell'accesso all'impianto e ai campi dal numero 3 al 19.

Ragazzi, questa è la quintessenza dell'inglesitudine. Il codante di Wimbledon è più pittoresco dei cappellini di Ascot e degli appassionati di giardini del Chelsea Flower Show. La giornata promette bene: niente pioggia in vista e grandi nuvoloni bianchi spazzati dal vento. Siamo in un parco di Londra, eppure sembra di essere nel camping di un luogo di villeggiatura, con il laghetto e il campo da golf.

Guardo la marea dei codanti campeggiatori, una massa di magliette colorate, scarpe da ginnastica, sacchi a pelo e coperte a quadri. Scelgo una coppia dall'aria che più inglese di così non si può. Stanno piegando la canadese. Entrambi secchissimi, più sui settanta che sui sessant'anni. Lui spelacchiato, in pigiama a righe e ciabatte. Lei ha una nuvola di capelli finissimi bianchi che virano all'azzurrino e indossa una tuta da ginnastica. Li studio da lontano, come un ornitologo con la sua preda.

Eccoli, li ho scelti: sono loro. Arrotolano i materassini, sistemano tutto dentro un borsone per essere pronti quando arrivano gli steward a consegnare i braccialetti, un colore specifico per ogni campo. Sono i preziosissimi braccialetti che danno il diritto, badate bene, non a entrare, ma a fare la coda di oggi. Un sorriso si stampa sulla loro faccia. È il momento di farsi avanti: "Buongiorno, contenti?".

Risponde lui: "Felici, adoriamo questa coda. È da dodici anni che veniamo. Mi piace perché è una coda con delle regole precise, tutto è perfettamente organizzato, la mattina ti offrono anche il caffè caldo. C'è perfino una Queue Lounge".

Regole e code, questo è il mio posto. Ho trovato le mie anime gemelle, penso. "Da quanto siete qui?" "È la seconda notte, oggi entriamo." Sono arrivati lunedì sera, è mercoledì mattina e loro sono felici. In un batter d'occhio The Queue si ingrossa, è come una creatura che respira a pieni polmoni, con una vita propria. C'è da rimanere stupefatti. I codanti della notte vanno al guardaroba a consegnare bagagli, tende, zaini, 5 sterline per una giornata.

Gli steward hanno un libretto di venticinque pagine intitolato *A Guide to Queuing*. Sì, proprio così: "Una guida su come si fa la coda", il vangelo del codante. C'è scritto tutto, in particolare quello che non si può fare. Non si possono fare barbecue, niente gazebi, massimo due persone a tenda, una bottiglia di vino o due lattine di birra a testa, le pizze take away possono essere recapitate solo al cancello di Wimbledon Park Road.

La parte più importante della guida è il "Codice di comportamento", ovvero le nove regole da seguire per far parte della coda. Alla prima, se non la leggessi con i miei occhi, non crederei: "Sei nella Coda se ti unisci dalla fine e ci rimani finché non arrivi al tornello". Non sono incredibili? Le altre regole in sostanza assicurano il rispetto della prima regola. In pratica un'altra serie di cose che non si possono fare. È vietato riservare il posto nella Coda per qualcun altro. È permesso solo assentarsi brevemente per andare in bagno o per comprare qualcosa da bere o mangiare. Ma la regola delle regole è scritta in lettere capitali: SALTARE LA CODA È INACCETTABILE E NON SARÀ TOLLERATO. Chi fa il furbo è cacciato con ignominia. Gli steward sono gli arbitri insindacabili di ogni controversia.

La coppia che ho individuato come esemplari di codanti torna dalle toilette e stento a riconoscerli. Lui è sbarbato, pettinato, lisciato e profuma di lavanda, in giacca chiara e camicia. Lei ha un vestito a fiori e una blusa beige. Entrambi con un cappellino di paglia. Portano una borsa termica da picnic con l'adesivo: "Ho fatto The Queue a Wimbledon", il segno di riconoscimento di cui i veterani vanno molto fieri. E ti credo.

Chiedo se mi raccontano un po' le loro code. Dato che i botteghini aprono alle 9.30 e loro il braccialetto ce l'hanno già, c'è tempo per un tè. Lui è abbastanza scettico, non capisce bene perché mi interessi così tanto. Alla fine accetta. Sono pensionati, ex tecnico elettronico lui ed ex insegnante lei. Vengono dal Devon. Hanno conosciuto codanti di tutte le età, anche molto più anziani di loro, perfino persone di 85 anni. Tra veterani nascono amicizie, si stringono sodalizi. È una comunità.

Faccio la domanda che ho sulla punta della lingua da un po': "Non avete mai visto qualcuno che vende il posto?". "No, è vietato. Chi ci prova viene cacciato e perde il diritto di stare in coda." Non ci posso credere. Insisto: "Davvero in dodici anni non avete mai visto comprare un biglietto in coda?". "Non sarebbe materialmente possibile. Perché se stai nella Queue per tutte queste ore non puoi tollerare che uno ti passi avanti." "Ma non perdi posizioni," obietto. "Cambia fisicamente la persona al numero 1326, ma tu rimani sempre il 1327. È un problema loro, no?" "Per niente. È un problema anche mio, perché è la regola numero uno: il nuovo arrivato non ha il diritto a stare lì, perché non ha fatto la coda dall'inizio."

Non fa una grinza. Regole e code. In verità mi sto un po' ricredendo sull'anima gemella, non so se questi due potrebbero mai gemellarsi con me e soprattutto io con loro, ma il concetto mi è chiarissimo. Sono pazzeschi. Tutto il sistema di Wimbledon è pazzesco. Concepito per evitare il bagarinaggio, le frodi, i favoritismi e i clientelismi. Tenendo conto del fatto che è dal 1922 che la richiesta di biglietti è dieci volte più alta dell'effettiva disponibilità, hanno studiato un sistema diabolico per rendere tutto il più trasparente possibile.

La mia coppia del Devon mi pare un po' troppo convinta e ingenua. Io non posso credere che non ci siano frodi, ma quel che è certo è che il sistema non le incoraggia. Esistono poche migliaia di biglietti di prima classe, i cosiddetti Debentures (stessa fascia del Royal Box, che ospita la regina e i membri della famiglia reale), attribuiti come benefit ai sottoscrittori di quelle particolarissime obbligazioni emesse periodicamente dall'All English con lo scopo di finanziare lo sviluppo delle strutture del Club. Obbligazioni e relativi biglietti (per le finali si scambiano anche a 8000 sterline) so-

116

no trattati alla Borsa di Londra e le oscillazioni di prezzo vengono pubblicate sul "Financial Times".

Il resto dei biglietti è a disposizione degli appassionati di tennis con due metodi: The Queue, appunto, o The Ballot. Il ballottaggio è una sorta di lotteria. Un altro sistema capace di far impazzire la fazione dei mediterranei, per le sue regole. Bisogna raccontarle, per capire di cosa parlo. Il primo passo è fare richiesta di un modulo che servirà a sua volta per richiedere di entrare nel ballottaggio. Il modulo va inviato in una busta di 110 × 220 mm, scritto a mano, in stampatello, con penna nera, massimo uno per nucleo famigliare. Probabilmente hanno un sistema di controllo per verificare la calligrafia, in modo da riconoscere il truffaldino tra le migliaia di buste inviate. Vista la maniacalità, non lo escluderei. Anche qui, ovviamente, c'è una lunghissima lista di cose da non fare: non si possono inviare due richieste con due cognomi diversi (moglie e marito) per lo stesso nucleo famigliare oppure dalla casa di campagna o dall'ufficio. È scritto chiaramente: "Per dare a tutti la stessa chance di vincere un biglietto". Insomma, se permettono a qualcuno di mandare più richieste, le sue probabilità aumentano. E il gioco non è più "fair". Quindi, alla fine di tutta la trafila antifrode ti spediscono l'agognato modulo per fare finalmente la richiesta vera e propria di ballottaggio. Solo pochi fortunati vincitori estratti a sorte avranno un biglietto, che è personale, non si può regalare né vendere. Se smerciati da un bagarino o su eBay, vengono invalidati.

Ora, è chiaro che raccontare queste cose a uno come Gino provoca una reazione scomposta. "Regole, regole. Code. Che palle. Lo vedi che sono ottusi?" Però questo sistema permette a chiunque, anche al teenager squattrinato e alla mia coppia di pensionati del Devon, di mettersi in fila per un biglietto e pagarlo una cifra ragionevole, dalle 40 alle 60 sterline. In effetti bisogna ammettere che la coda inglese è davvero democratica. È la filosofia di rispettare il proprio turno a essere democratica, è lo stesso principio di una testa un voto. La coda è egualitaria, ha l'effetto della livella di Totò, perché si segue il *first come, first served* (chi prima arriva prima è servito). In fondo l'etica della coda è il contrario del concetto tipicamente italico del privilegio. Nessuno vuole essere "uguale" agli altri in Italia. Tutti vogliono essere titolari di un piccolo pezzetto di privilegio. Perfino della lusinga del cameriere: "Dotto', per lei un tavolo lo trovo sempre" e ti fa capire che ti sta dando il posto riservato a un altro, meno importante di te. Poi casomai non è vero, il tavolo ce l'aveva, ma tu sei riconoscente per il trattamento di favore e gli allunghi la mancia. Credi di essere un privilegiato, ma hai pagato per avere un posto che avresti avuto lo stesso. È la logica del santo in paradiso e della raccomandazione. Ognuno ha un cugino della cognata dell'amico che ti farà il favore di portare la tua pratica in cima alla pila: hai il tuo protettore, passi avanti, ma tutto ha un prezzo. Il favore è un debito che prima o poi ti sarà chiesto di restituire.

Gino, c'era da immaginarselo, detesta le code. Quelli come lui sono disposti a pagare pur di non dover stare in fila con gli altri. Lui è di quelli che il biglietto lo vorrebbe gratis, dallo sponsor. Fa parte di quell'umanità che anela alla tessera omaggio per la tribuna allo stadio come implicito riconoscimento che sei arrivato, sei qualcuno, hai un amico importante che ti invita. Se la prendono con la Casta, con i privilegi, con i politici. Ma solo fino a quando non ne fanno parte. Poi li compri con un tozzo di pane: basta il tagliando per un parcheggio riservato, un invito esclusivo, poter entrare nella zona blu con un tesserino e diventano tuoi servitori fedeli per sempre. O almeno finché non arriverà qualcuno a offrire di più.

La mia rivelata passione per regole e code suscita in Gino un sorrisino di compassione. Glielo si legge negli occhi. Sostenuto dagli amici della fazione mediterranea, dice che sono una manichea. Che la vita va vissuta alla leggera, non c'è niente di male a dare una mancia a chi ti fa un favore. Non è certo una mazzetta.

No, caro mio. Adesso ti racconto cosa è successo per rifare la patente scaduta di mio marito. Chi si lamenta della burocrazia italiana dovrebbe avere a che fare con quella mastodontica inglese. È imperiale, nel senso che è strutturata come se dovessero ancora gestire un impero. L'impero non c'è più, la burocrazia è rimasta, con il suo lato ottuso, come tutte le burocrazie. Ma Internet li salva. Sul web è possibile risolvere ogni problema. Uno dei commensali, inglese, racconta di essere rimasto stupito – addirittura lui inglese – perché credendo di aver versato più del dovuto di tasse ha mandato un'email all'Agenzia delle entrate. Hanno verificato, aveva ragione e nel giro di tre giorni gli hanno riaccreditato i soldi sul conto corrente. Niente, neanche questo basta ai nostri amici mediterranei. Gino ridacchia. Però la storia delle tasse l'ha colpito.

Per quanto si possa essere agguerriti, sostenere la parte del buono è più difficile. La spregiudicatezza e il politicamente scorretto pagano, in questo tipo di discussioni. L'inglese delle tasse getta la spugna, torno alla carica io con la mia storia della patente. Quindi è successo che la motorizzazione di Londra con un clic ti fornisce la lista dei documenti necessari. Mandi tutto per posta, paghi online e ti spediscono la patente nuova a casa. Fine della pratica.

Purtroppo il cittadino italiano è il figlio di un dio minore e ha bisogno di un nulla osta della motorizzazione italiana. E qui iniziano i guai. Il documento non si può richiedere online. Mandiamo un'email, nessuna risposta. Riscriviamo. Senza esito. Proviamo a chiamare. Parte la musichetta, gli operatori sono momentaneamente impegnati, rimanete in linea per non perdere la priorità acquisita eccetera. Cade la linea, richiamiamo. È anche fastidioso da raccontare, tante sono le volte che abbiamo sentito queste lamentele. Storie di ordinaria mala amministrazione. Sembra di essere a *Mi manda RaiTre*. Finalmente un'impiegata risponde e conferma che bisogna andare lì di persona. Per inciso, orario di Milano: dalle 8.45 alle 12; quello di Londra: dalle 9 alle 17, continuato. "Ah? Abita all'estero? Non ha un parente da mandare?" si informa la signorina. Eccoci, siccome lo stato italiano non è in grado di garantire un sito internet dove le grane si possono risolvere online, ci si aspetta l'aiutino dalla famiglia. "No, non ho un parente a Milano." E anche se l'avessi non gli chiederei di perdere una mattinata alla motorizzazione. "Allora le consiglio di rivolgersi a un'agenzia di pratiche automobilistiche." Chiamiamo una scuola guida. "Cento euro e le spediamo il nulla osta a casa," è il responso.

Cosa sono questi cento euro se non una mazzetta legalizzata? Sto pagando un intermediario per un servizio che a Londra faccio con un clic. E non è a suo modo un pagare per evitare la coda? E non è il primo gradino di una scala che porta all'illegalità diffusa? A pagare l'assessore per un permesso edilizio? E via via, salendo i gradini dei favori. Non ce ne accorgiamo, ma il privilegio si paga con la sudditanza. Sempre. Pensi di essere un furbo, invece sei un suddito, ma privilegiato.

"Caro Gino, tu sei il cittadino di una repubblica e sei un suddito. Qui i sudditi della regina sono dei liberi cittadini che stanno in coda," sentenzio. Gino ride tirato. Sono riuscita a farlo arrabbiare. Come ci godo.

Gino è il concentrato dei comportamenti e dei caratteri che contraddistinguono la storia degli italiani dalla notte dei tempi. La furbizia, la scaltrezza, il realismo, il cinismo, la diffidenza, il pessimismo. Sono passati secoli, ma Machiavelli e Guicciardini sono sempre lì. Sembra che stasera si siano seduti a tavola con noi. Mentre scrivo mi viene in mente l'email di un amico veneziano, architetto, a Londra da trent'anni. Gli avevo chiesto un consiglio per ricavare un terrazzino e avevo poi magnificato con lui l'efficienza del catasto che in due settimane aveva mandato un funzionario a fare il sopralluogo e aveva dato una risposta. Negativa, ma certa: niente terrazzino. Senza bisogno di geometri, intermediari o altre diavolerie. Avevo schizzato io personalmente a mano sul modulo la modifica richiesta.

Cerco la mail, c'è ancora. "Vedi," gli avevo scritto, "in Italia saremmo ancora in ballo. Non c'è mai un sì o un no. Se paghi sottobanco, se conosci qualcuno o hai un aggancio politico allora forse si può fare... Sinceramente preferisco l'ottusità britannica."

La sua risposta? "Sì, certo, hai ragione, ovviamente è tutto giusto quello che dici. Il 'metodo della perfida Albione' è alla fine più efficace, più onesto, fastidiosamente onesto e rispetta il processo democratico e così via. Ma vorrei presentare una petizione perché i funzionari del catasto vengano spediti in massa al Sud per un breve Grand Tour e costretti a prendere il sole, vedere belle città, belle donne (o uomini!), gustare ottimo cibo, tuffarsi nel profondo blu, ammirare il Pantheon e le Grandes Jorasses eccetera. Spererei che questo trattamento sviluppi in loro un qualche minimo senso estetico! Perché, credimi, quello che hai visto tu è niente. Ti manca la parte 'deliziosa' del processo decisionale del catasto: questi ottusi funzionari passano il tempo a vedere se li vuoi fregare e ad ascoltare vecchiette arrabbiate che presiedono una qualsiasi associazione di inquilini della quale, cara mia, prima o poi sarai vittima."

Trent'anni di Inghilterra ed è ancora capace di stupirsi per l'ottusità di certi personaggi. È grandioso, il mio amico architetto. Credo che sarebbe utile uno scambio: mentre i funzionari inglesi sono nel loro viaggio forzato al Sud, noi spediamo quelli italiani in un Grand Tour al Nord. Avremmo alla fine un mix perfetto?

L'ottusità in Gran Bretagna è tanto diffusa quanto la furbizia in Italia. Preoccupante. Ma quel che è successo una mattina al Sir John Soane's Museum credo rasenti il parossismo e il custode di cui vi racconterò merita una menzione per l'Oscar dell'Ottusità. Eravamo un gruppo di amiche in coda. Sì, anche quella del Soane's Museum fa parte delle proverbiali code di Londra, soprattutto il primo martedì sera di ogni mese, quando la casa museo che fu di Sir John, eclettico architetto e collezionista vissuto tra Sette e Ottocento, è illuminata a lume di candela. Lo spettacolo, unico, attira molti più visitatori dei duecento biglietti disponibili, quindi la coda inizia già nelle prime ore del pomeriggio e d'inverno c'è gente che arriva con il thermos, lo sgabello pieghevole, le coperte e lo scaldino per i piedi.

La nostra di quella mattina era una normale coda feriale di una mezz'ora. Quasi calma piatta per gli standard locali. Siamo in sette. Quando arriviamo alla biglietteria, una delle amiche chiede se ci sono sconti per i gruppi.

"Siete un gruppo e non avete prenotato? I gruppi possono entrare solo con la prenotazione."

"Vabbe'," diciamo, "non importa, entriamo senza sconto per i gruppi."

"Non si può," dice lui.

"E perché?"

"Non avete prenotato. Se siete un gruppo non potete entrare come singoli."

"Che vuol dire? Se entriamo una alla volta non siamo più un gruppo."

"No, voi avete detto che siete in sette. Si considera gruppo da sei a venti persone."
"Se non ci fossimo annunciate come gruppo, saremmo state sette singole persone."
"Ma avete detto che siete un gruppo di sette."
"Entriamo in due non-gruppi di tre e quattro persone ciascuno."
"No, siete un gruppo di sette."
Inizia una contrattazione estenuante. Lui non ci fa entrare, noi non ci muoviamo di lì. Gli stiamo bloccando la coda. Cosa che lo manda nel panico. Qualcuna delle amiche vorrebbe mollare: l'esasperazione ha cancellato l'interesse per la collezione di Sir John. Le convinciamo a non desistere. Siamo in maggioranza italiane, ma ci sono un paio di autoctone e la più agguerrita contro l'ottuso custode è una scozzese. Lui manda a chiamare il superiore. È inviperito. Lasciamo la contrattazione con il capo-custode alla scozzese. La coda è sempre ferma, in attesa del verdetto: per dimostrare che non siamo più un gruppo di sette, dobbiamo dividerci fisicamente. Un "non-gruppo di quattro" può passare, l'altro "non-gruppo di tre" deve rifare la coda dall'inizio. Stremate dalla discussione, accettiamo l'ottuso compromesso. Le altre ci aspettano dentro. Quando, rifatta la coda, varchiamo la porta il custode ci sibila con rabbia: "Italiani!". "E scozzesi," gli sibilo di rimando sorridente.

Sbollita la rabbia penso che comunque, anche di fronte a tali vette di chiusura mentale, continuo a preferirla all'illegalità. Se è lo scotto da pagare per vivere in un paese civile, sono disposta a sopportare una modica quantità di periodici faccia a faccia con il custode del Soane's Museum e i suoi simili.

Arrivati al dolce i due schieramenti sono sempre più arroccati sulle loro posizioni. A Gino non è piaciuto per niente quando l'ho chiamato "suddito". Forse ho colpito nel segno, gongolo tra me e me. Gli avrò messo la pulce nell'orecchio? Niente da fare. Eccolo che torna all'attacco. Si parla di traffico, zona blu, divieti, macchine: mai come in questo campo i londinesi sono ligi. Pagano 8 sterline (10 euro) per entrare in centro con la macchina e 4,40 sterline l'ora (5 euro e rotti) per parcheggiare. Una follia che avrebbe provocato sommosse in qualsiasi altro paese del Vecchio continente. A Londra no. Mugugnano, odiano gli ausiliari del traffico, ma sotto sotto ammettono che la macchina è considerata un lusso e un elemento di disturbo, inquinante e fastidioso. Quindi, se la vuoi parcheggiare paghi. Se parcheggi sotto casa devi avere un permesso per residenti. Paghi anche quello: meno caro, ma paghi. Insomma, si paga sempre.

Come un Machiavelli di quarta categoria, Gino dichiara solennemente che il parcheggio è meglio non pagarlo. Ha fatto i suoi conti, dice, ed è arrivato alla conclusione che non è vantaggioso. Secondo il suo machiavellico conteggio, il costo dell'eventuale multa ripaga abbondantemente i tagliandi del parchimetro risparmiati.

Il ragionamento potrà essere valido in Italia, ma a Londra Gino avrebbe fatto i conti senza l'oste. Gli auguro un incontro ravvicinato con un vigilino della sosta inglese. La certezza che ti becchino è quasi matematica. Anche perché vengono pagati a cottimo. La prima volta che ho parcheggiato in divieto ho preso una multa dopo 30 minuti. La seconda dopo 10. La terza non ci ho più provato. Il concetto di sosta in doppia fila con le quattro frecce nemmeno esiste. Non esiste neppure il "minutino" che si chiede al vigile per fare la commissione veloce. Mai visto un cartello con scritto: "Torno subito", "Sono su a lavorare", "Suonare Pippo per spostare la macchina".

Sotto casa mia a Milano tutti i giorni c'era una Panda in seconda fila. Un perenne "Sono al bar" sul cruscotto. Ammazza quanti caffè, pensavo le prime volte. Poi ho scoperto che era la macchina del barista. Sfangava così la giornata, senza mai pagare il gratta e sosta.

Poi ci sono gli eccessi tipici della regola applicata all'estremo: 65 sterline di multa per 37 secondi farebbero – fanno! – imbestialire chiunque. Ecco, a me è successo. Stavo caricando il solito fardello di borse da calcio, monopattini, cartelle di scuola; alzo gli occhi e mi ritrovo davanti la pettorina giallo fosforescente dell'addetta ai parchimetri. Sta per scadere il ticket. Urlo ai figli di sbrigarsi. Salite in macchina e andiamo. La vigilessa si apposta, prepara la telecamera e, non appena scocca il minuto, scatta la foto. Scendo, furente. Protesto: non l'ha visto che stavo partendo? Quella senza scomporsi risponde: "Lei sa leggere? Il suo biglietto scadeva alle 05.00 pm". Mi mostra il monitor della diabolica macchinetta sputamulte. "Vede cosa c'è scritto qui? Le 05.00.37 pm. Lei ha sforato." Mi stampa la foto, la allega alla contravvenzione e se ne va.

Anche stavolta, sbollita la rabbia momentanea, non demordo. Il Gino che è in me vorrebbe mandarli a quel paese, ma ancora una volta prevale la brava cittadina. Ebbene sì, ottuse regole inglesi. Vi odio. Ma vi rispetto, alla faccia di Gino. In fondo ha ragione la vigilessa. Mi metto nella testa di un inglese: se fossi partita alle 4.59 non avrebbe potuto farmi la multa. Sì, mi sono di nuovo convinta: la multa tutela il cittadino onesto dal sopruso del disonesto e chi sgarra, anche in cose così banali, paga per aver violato la legge. Alla fine le multe le pagano tutti, non ti senti il solito fesso italiano che paga mentre per gli altri arriva il condono.

Però diciamolo, quando mi trovo a fare questi ragionamenti penso di aver subìto una mutazione genetica. Per dire, all'inizio non sopportavo quando ero al telefonino in auto e chiunque (automobilista, motociclista e/o semplice pedone britannico) si riteneva autorizzato a farmi la predica. Me li ritrovavo con la faccia appiccicata al finestrino, aggressivi: "Cretina, met-

125

ti giù quel telefono! È pericoloso". Adesso se telefono in macchina lo faccio di nascosto, sperando che il pedone-moralizzatore non mi becchi. In compenso ora non sopporto più quando in Italia scatta il rosso e quello dietro ti suona perché hai frenato: "Cretina, perché ti fermi? Non lo vedi che non c'è nessuno?". Se il risultato è comunque prendersi della cretina, preferisco il primo caso. Starò diventando insopportabile, tipo gli ex fumatori?

Quando gli ospiti se ne vanno, finalmente buio e silenzio. Sono tutti a dormire, dalle finestre filtra l'alone dei lampioni, mi sprofondo nel divano, distendo le gambe e mi viene un flash. Accendo la luce sulla scrivania, vado alla libreria, passo in rassegna i dorsi dei libri. Sono quelli che definirei "indispensabili", le poche casse che ci hanno seguito con i piatti e i bicchieri dall'Italia. Eccolo trovato: Luigi Barzini jr, Gli italiani. Virtù e vizi di un popolo. Un libro del 1964, un oracolo. Quando l'avevo letto avevo messo un sacco di segni. Sfoglio e rabbrividisco. Barzini scriveva: "Questo libro è dedicato a tutti coloro che vogliono vedere l'Italia liberata finalmente da tutte le sue sventure". Apro a un'altra pagina che ha di lato i tre asterischi a matita, il segno che contraddistingue le cose che mi colpiscono: "La causa fondamentale dello scontento perenne sfugge a tutti. È il modo di vita italiana a far sì che il funzionamento di qualunque legge e di qualunque istituzione sia sempre difettoso".

Ne pesco un altro con i tre asterischi. È l'eterna disputa tra il fesso e l'italiano scaltro. Mi pare la disputa di stasera con Gino. "L'imperativo al quale gli italiani ubbidiscono implicitamente in tutte le loro decisioni è non farsi far fesso. Essere fatto fesso è l'ignominia ultima, come la credulità è la colpa innominabile.

"Il fesso, incidentalmente, è anche colui che ubbidisce alle leggi, paga le tasse, crede a ciò che legge nei

126

giornali, mantiene le promesse e in genere compie il proprio dovere. Per fortuna vi sono ancora abbastanza fessi in Italia, soprattutto nel Nord, che mantengono in vita il paese: senza di loro, probabilmente, tutto si fermerebbe; e ciononostante ben pochi li ammirano e li lodano. Il loro numero va pertanto diminuendo. Nessuno sa che cosa accadrà quando scompariranno del tutto." Più che scomparire, molti fessi hanno ripreso a emigrare, direi. Il risultato finale, comunque, è lo stesso. E io, va da sé, mi sento molto fessa. Nobilmente fessa.

Ho deciso che Barzini diventerà la mia nuova bibbia londinese. L'aveva scritto per spiegare l'Italia agli stranieri. È stato un bestseller sul mercato anglosassone, poi l'hanno pubblicato anche in Italia. In patria si trova solo di seconda mano, a Londra è ancora sugli scaffali delle librerie come un classico.

Perché gli italiani sono così?

In cosa siamo diversi dagli altri popoli?

Scorro il libro e trovo altri tre asterischi più una fila di punti esclamativi. Segno che ero fessa già un bel po' di tempo fa, in Italia. La risposta di Barzini alla fatidica domanda è che il feudalesimo quale concezione morale fu estraneo all'Italia e non influenzò mai profondamente la nostra vita. Delle regole della cavalleria medievale furono copiati gli aspetti esteriori, tipo i tornei, le giostre, le piume e gli elmi. Ma non i precetti morali, non è mai esistito qualcosa di equivalente al giuramento dei cavalieri di re Artù.

"Molte norme che raccomandano un comportamento leale colpiscono gli italiani come assurdità. Si pensi al principio inglese 'Non prendere mai a calci un uomo quando è a terra'. Vi sono italiani che non credono che qualcuno vi si sia mai realmente attenuto. Sanno bene che un uomo non dovrebbe essere preso a calci in molti casi: se è vecchio, se è forte e può reagire immediatamente, se in seguito è in grado di vendicarsi, se ha amici o parenti influenti, se un giorno

127

potrebbe essere utile in qualche modo, o se un poliziotto sta guardando. Ma perché non 'quando è a terra'? In quale altra circostanza, se è lecito, si potrebbe prenderlo a calci più vantaggiosamente, o in modo più sicuro ed efficace? Un manuale famoso sul modo di giocare a scopa, scritto da monsignor Chitarrella, napoletano, incomincia così: 'Regola numero uno: cercare sempre di vedere le carte dell'avversario'. È una norma pratica, efficace e concreta." Basta punti esclamativi e asterischi. Mi spiace solo non essermi ricordata prima di Barzini. Avrei steso Gino al primo round. Da ora in poi sarà il mio libro da comodino (e da cena con italiani).

Poi è successa una cosa che mi ha fatto vacillare, nella mia difesa delle regole e della legalità. Un giorno sono in giro per commissioni con mio figlio grande. Il parchimetro sta scadendo, non trovo le chiavi della macchina. Guardo dappertutto. Rivolto la borsa. Le tasche. Niente. Le avrò lasciate sul bancone di qualche negozio.

Memore dei 37 secondi, lascio di vedetta il figlio, 13 anni.

"Se viene il vigile digli che sono a cercare le chiavi dell'auto."

Entro negli ultimi negozi, trovo le chiavi, torno indietro. Saranno passati cinque minuti al massimo. Mio figlio è sul marciapiede immobile e muto come uno stoccafisso, il vigile sotto i suoi occhi finisce la multa e con flemma britannica piazza il foglietto sul parabrezza, bello incellophanato come usa qui, per ovvie questioni meteorologiche.

Mi avvento sul ragazzino: "Non gli hai detto che non trovavo le chiavi?".

"No."

"Perché?"

"Perché il parchimetro era già scaduto prima che ti accorgessi di aver perso le chiavi."

"E allora? Senza chiavi non potevo spostare la macchina."

"Avresti dovuto spostarla prima."

Me lo sto per mangiare. "Senza chiavi?"

"Era scaduto già prima. Da almeno cinque minuti."

Lo insulto. Lui è irremovibile. Minaccio il testardo tredicenne: gli sottrarrò l'importo della multa dalla paghetta settimanale. Ribatte che è un'ingiustizia e che ragiono come una "criminale". Non aggiunge "come tutti gli italiani" perché intuisce che una frase del genere potrebbe avere effetti nefasti sulla paghetta per un periodo ben più lungo. Ma sono sicura che lo pensa. Sfida preadolescenziale o mutamento socio-biologico? Tremo al solo pensiero che sto crescendo un futuro custode del Soane's Museum.

Vabbe' i principi, le regole e tutto il resto. Ma un tredicenne italiano deve essere in grado di sopravvivere anche nel proprio paese d'origine. Quindi ho istituito le "lezioni di illegalità": una volta alla settimana lo costringo a infrangere le regole. Abbiamo iniziato con una lezione di illegalità semplice, dal titolo: Fieri di attraversare con il rosso. La prossima sarà più dura: Come saltare la coda e vivere felici.

Basta che il mio amico Gino non lo venga mai a sapere.

Epilogo

Il curriculum IB

"Mamma, oggi mi hanno attaccato i vichinghi."
Normalmente il dialogo al ritorno da scuola ha un altro tono.
Com'è andata?
"Bene."
Cosa avete fatto?
"Niente."
Oggi invece c'è stato un assalto dei vichinghi e la cosa pare interessante.
Cioè?
"Be', erano tantissimi e io le ho prese."
All'inizio penso a un litigio con qualche svedese o norvegese. Siamo in una scuola internazionale, nell'anno di mio figlio ci sono 27 nazionalità su un totale di 55 alunni, ci sta un battibecco con qualche "nordico". Però non vedo sul suo volto segni evidenti di colluttazione. Niente occhio nero né altro.
I vichinghi?, chiedo.
"Io sono il signore del castello e quando sono arrivati i vichinghi sono stato troppo tirchio."
Tirchio?
"Sì, invece di pagare dei mercenari, ho fatto combattere i miei paesani che sono guerrieri inesperti. Ho sbagliato decisione e alla fine ho speso di più, perché

i vichinghi ci hanno distrutto i raccolti e così ho dovuto aumentare le tasse."

Hai aumentato le tasse?

"Ho dovuto, perché non avevo più soldi in cassa. Ma poi sono diventato molto impopolare. Il mio popolo si è arrabbiato e così ho perso altri punti, che è come perdere soldi."

Dopo i test e le mie ricerche antropologiche sulle scuole di Londra e dintorni, siamo riusciti a iscrivere i figli in una scuola internazionale. L'unica che ce li ha presi all'ultimo momento, senza tante storie. Era un porto di mare, con gente che arrivava e partiva in ogni mese dell'anno. Figli di diplomatici, di rifugiati politici, di giramondo e manager internazionali. È la scelta quasi obbligata degli espatriati che arrivano con figli non in stato embrionale.

Non sapevamo niente del curriculum internazionale e dell'IB, l'International Baccalaureate, la maturità bilingue internazionale. Ci siamo capitati per caso. I ragazzini si sono abituati subito: è tutto molto più interessante e divertente, per loro. Per noi un po' meno. Mio marito e io abbiamo passato serate intere in interminabili discussioni: stavamo facendo la cosa giusta? Non era meglio lasciarli studiare in Italia, con la grammatica, l'analisi logica e quello che ben conoscevamo? I francesi di Londra (e nel mondo) hanno una scuola statale francese. Anche i tedeschi hanno la scuola tedesca. Gli italiani di Londra no, quindi l'opzione scuola italiana non era percorribile. Solo di recente è stata aperta una scuola elementare italiana a Holland Park, non certo per l'interessamento dello stato italiano ma per l'impegno di persone volenterose, intelligenti e lungimiranti.

Quindi siamo finiti nel cosiddetto "IB curriculum". Solo dopo molti litigi, stress e grattacapi abbiamo capito che avevamo, per puro caso, fatto la scelta giusta. In tutto il mondo, anche nelle blasonate scuole inglesi, il curriculum internazionale, ultimamente, è il più gettonato. L'IB è il futuro, dicono. Chissà se è vero. Tanto per noi non cambiava niente. Non avevamo altra scelta e così abbiamo cercato di capire di che morte dovevamo morire.

Ora mio marito e io pensiamo di aver capito come funziona il sistema. Pensiamo, ma ogni giorno ce n'è una nuova e continuiamo a stupirci. L'attacco dei vichinghi è una cosa che esce dal nostro radar, per intenderci. È avvenuto nell'ora di *humanities*, cioè un misto di storia, geografia, geopolitica e varia umanità (letteratura e filosofia comprese). Si trattano grandi temi in maniera trasversale. I vichinghi rientrano nel grande tema Medioevo. Ma c'è stato il grande tema Egizi. Il Rinascimento. La Seconda guerra mondiale. La lezione di *humanities* inizia con una simulazione, una sorta di enorme gioco di ruolo che coinvolge tutta la classe. Si recita per un quarto d'ora, poi tutti tornano ai loro banchi e il professore spiega il tema che si è affrontato. I personaggi sono stati assegnati a sorte. A mio figlio è toccato il Lord of Manor, il signore del castello. Inizia a snocciolare i nomi dei compagni di classe. Pinco è il Bishop (il vescovo), Pallino il Knight (il cavaliere), Tizia è la Lady (la castellana). "Dovrei essere il più figo, ma forse è una fregatura: sono il capo ma ho un sacco di problemi in più degli altri." Ovvero, come spiegare il concetto weberiano di carisma, responsabilità e leadership.

Ogni mattina il professore lancia l'avvenimento del giorno. Succede di tutto in quella classe. Ci sono stati la pestilenza, la crociata, la giostra con i cavalieri, il rogo delle streghe. In base al proprio ruolo, i ragazzi devono valutare la situazione, decidere e agire. Chi fa la cosa giusta guadagna punti e sale nella scala sociale, chi sbaglia perde punti e scende. La rappresentazione della società medievale è immediata e visiva: il Lord sta alla cattedra insieme all'aristocrazia, al clero e ai militari. Solo loro possono mangiare alla mensa del re (il professore). Nei banchi, un gradino sotto, sie-

132

dono i mercanti, i messaggeri, i viaggiatori, i soldati. Seduti in terra invece i paesani, i servitori, i contadini, i servi della gleba. Ovvero, come spiegare il concetto di classi sociali, di mobilità, di privilegio. Il gioco si concluderà al termine dell'anno con premi in caramelle. Sono curiosa di vedere come va a finire.

Come si può facilmente intuire siamo su un altro pianeta. Come il nostro italiano è teorico e astratto, così l'altro è concreto e va dritto al punto. Chi è abituato ai libri di testo, alle interrogazioni, al nozionismo e ai compiti a casa dove si studia da pagina tot a pagina tot resta spiazzato. La prima impressione è di essere nel paese dei balocchi. Però Pinocchio non può neppure andare a vendere il sussidiario per spassarsela con Lucignolo, perché il sussidiario non esiste. Si lavora su dispense, appunti, schede e fogli sparsi.

Uno degli aspetti più apprezzabili è che il professore non è un intoccabile e inavvicinabile dispensatore di sapienza. Non c'è una verità unica e indiscutibile, calata dall'alto e imposta sugli allievi chiamati solo a ripetere a pappagallo la lezione. Il professore dà l'input, spiega il contesto, suggerisce le letture da fare.

Non viene richiesto di incamerare una nozione astratta, ma di sviluppare un pensiero critico. Cercare di capire perché si fa una cosa al posto di un'altra, interagire, prendere delle decisioni (che siano aumentare le tasse o indire una giostra per raccogliere soldi o difendersi dai vichinghi). Ti insegnano che i libri sono uno strumento e non il fine. Che il docente non è l'oracolo.

Così mentre il figlio piccolo studia sistemi per difendersi dai vichinghi e prepara la prossima crociata contro il feroce Saladino, il figlio grande passa i pomeriggi davanti allo schermo navigando sui siti delle case automobilistiche.

Che fai?

"I compiti."

133

Sul sito della Volkswagen?

"Ovvio."

Siamo già in fase di preadolescenza. Il dialogo è in modalità stand-by. Si comunica perlopiù per grugniti, monologhi (miei) e monosillabi (suoi). Senza aggiungere altro mi mette sotto il naso il testo del problema: "Con un budget dato, calcolate quale automobile conviene comprare tenendo presenti i seguenti parametri: il consumo, i chilometri annui percorsi, il costo dell'assicurazione e il finanziamento del leasing. Fate le ipotesi a tre e a cinque anni".

Il compito si deve svolgere al computer usando il foglio Excel, i dati devono essere quelli di vetture e assicurazioni vere, presi da Internet. Hanno delle regole ferree sull'uso del web per trovare informazioni. Devono sempre indicare la fonte ed è proibito usare wikipedia, considerata non attendibile per ricerche accademiche.

Io che il foglio Excel so a malapena cosa sia, guardo con un misto di diffidenza e fascinazione. E un po' di frustrazione, perché non puoi neppure dire: Ora però spegni il computer e va' a fare i compiti.

Ogni tanto mi informo di come vanno le cose lì in classe, cioè pardon, al castello.

Ci sono stati altri attacchi?

"No, questa settimana c'è stata la pestilenza."

Ah, bene. E il Lord che ha fatto?

"Ho diminuito le tasse perché i contadini morivano di fame. Quel bastardo del vescovo mi fa sempre la guerra. E io per vincere devo accumulare soldi, fama e potere. Ma anche lui li vuole. Sai cosa dice ai sudditi? Che se gli danno più soldi, quando muoiono li manda in paradiso e non all'inferno." Ovvero, come spiegare il concetto di lotta tra il potere temporale e il potere spirituale.

La rivalità si acuisce con il passare delle settimane. Oggi c'è stato un battibecco tra il vescovo e mio figlio il Lord. Pare siano quasi venuti alle mani. La simulazione ogni tanto trascende, ma questo è il bello di coinvolgere i ragazzi, dice il professore.

"Mamma, quel bastardo del vescovo ogni settimana prende direttamente da ogni paesano il 3 per cento di tasse. Io sono in teoria più bastardo di lui perché prendo il 15 per cento, ma lo faccio per migliorare il villaggio, mentre lui lo fa solo per arricchirsi. Io ho dato anche dei terreni ai contadini. Lui i soldi se li tiene e basta, non migliora la sua chiesa."

Nel corso del trimestre hanno sviscerato parecchi aspetti della vita di un borgo medievale. Dopo la peste, i vichinghi e la crociata ci sono state la carestia e addirittura una giostra con i cavalieri. È curioso avere in famiglia un Lord of Manor che mentre fa merenda con la Nutella racconta la sua versione del concetto di *panem et circenses*.

"La giostra mi è costata tantissimo, ma io devo fare anche divertire i sudditi. Più si divertono più io guadagno. Ho pagato 15 denari per organizzare la giostra, ma ho guadagnato 30 denari sulle scommesse. Quando il popolo scommette, perde tutti i soldi e li prendo io."

Punteggi?, mi informo.

"Non sto andando benissimo, il vescovo e il cavaliere mi stanno alle costole."

Nel frattempo nella classe del figlio grande dovevano convincere la Corea del Nord a disarmare le testate nucleari. Stesso sistema: ragazzi divisi in gruppi di due o tre, ogni gruppetto rappresenta una nazione (scelta a sorte), ogni nazione in base alle proprie caratteristiche politiche, geografiche, economiche eccetera deve preparare un discorso e una strategia da presentare al segretario dell'Onu (il professore) durante l'Assemblea generale delle Nazioni Unite (di fronte a tutte le sezioni). A mio figlio è toccata la Grecia. Chiedo come intendano procedere. "C'è poco da fare. Che sfiga. Al massimo possiamo proporre uno scambio di feta." Fine del discorso. Capisco che essere la Grecia nella risoluzione di una controversia internazionale non sia molto avvincente. Non se ne parla più, neppure in modalità comunicazione a monosillabi. In compenso dopo qualche giorno a colazione se ne viene fuori con una domanda spiazzante: "Secondo te è giusto far lavorare un minorenne?".

"Guarda che apparecchiare e sparecchiare non lo definirei lavoro minorile," rispondo sulla difensiva. Ma non è una delle solite rivendicazioni sindacali domestiche. Si deve preparare per un dibattito sulla Rivoluzione industriale. Hanno letto *Uomini e topi* di Steinbeck, sono passati dai braccianti alla questione operaia e quindi al lavoro dei minori durante l'Inghilterra di Dickens. Il professore ha diviso la classe in due gruppi, uno pro e uno contro. I ragazzi al solito sono tirati a sorte, il mio è capitato nel gruppo che deve trovare argomenti a favore del lavoro minorile. "Sempre sfigato io. Se fossi stato nel gruppo dei contro sarebbe stato facilissimo. Qui che cosa ci inventiamo?" In effetti il bello di questo tipo di dibattiti è che sono semplici esercizi di retorica e non ricerca di soluzioni etiche e politicamente corrette.

Così, dopo vari pomeriggi passati con i suoi compagni sfruttatori di minori arrivano a elaborare una strategia d'attacco che segue queste linee guida: "Bisogna valutare le condizioni reali. Se l'alternativa è morire di fame o finire nelle mani della malavita è meglio che un ragazzino vada a lavorare... Se non ci fosse stato il lavoro minorile non ci sarebbe stata la Rivoluzione industriale... E altre cose del genere". Però è un po' un arrampicarsi sugli specchi.

Nel dibattito comunque hanno vinto, perché partivano da una condizione svantaggiata e sono riusciti a trovare argomentazioni convincenti.

Poi i genitori sono stati convocati per la Giornata della scienza. Mio marito ha accampato imprescindibili appuntamenti di lavoro. Tocca a me, niente di nuovo. Voglia zero, sono andata mossa esclusivamente dal senso di colpa che spinge ogni genitore al colloquio con i professori o al saggio di fine anno. Ancora una volta mi sbagliavo, e questo benedetto sistema internazionale è riuscito a stupirmi. Si gira per i banconi dei laboratori di scienze dove i ragazzi aspettano i genitori come fossero venditori marocchini in attesa del turista nel suk. Quando il genitore è accalappiato si inizia la presentazione, massimo tre minuti, con video, esperimenti in diretta, proiezione di slide sullo schermo del computer. Tanta solerzia è dovuta al fatto che a ciascun genitore è stata consegnata all'ingresso una scheda con la quale dovremo votare i tre esperimenti che ci sono piaciuti di più. Il progetto più votato vince una libera uscita durante la pausa pranzo.

La ricerca del gruppetto di mio figlio consiste nel testare il miglior rapporto tra inclinazione (30, 45 o 60 gradi) e superficie nella costruzione delle pale eoliche. Hanno costruito dei modellini con l'involucro dei vasetti dello yogurt attaccati su bastoncini di plastica. Il tutto è azionato da un phon per capelli (un vento artificiale a due velocità, caldo e freddo) e l'energia prodotta è misurata da una dinamo. Le pale più piccole e meno inclinate sono le più efficienti, secondo le loro misurazioni. Credo che un voto potrei darglielo, almeno per l'ingegnosità della struttura.

Vengo quindi adescata da tre ragazzine che hanno indagato l'effetto delle bevande energetiche sulla pressione arteriosa. Mi fanno sedere su uno sgabello. Mi misurano la pressione. Tutto regolare. La registrano su una tabella. Poi mi fanno bere un bicchiere di integratore sportivo. Si aspetta un minuto e poi mi riprovano la pressione: è schizzata a 150. Ora mi segnano nella colonna delle reazioni positive. Mi spiegano che confermo il loro campione: il 95 per cento finora ha avuto una reazione positiva. Se vanno avanti così alla fine della giornata potranno concludere che gli integratori fanno male alla salute perché alzano la pressione arteriosa.

I temi sono scelti dai ragazzi, i professori in questi esperimenti sono solo dei supervisori. È la regola galileiana del provare e riprovare, spiegano. Empirismo allo stato puro.

C'è chi ha sperimentato la relazione tra l'ascolto della musica in cuffia mentre si studia e il numero di pagine lette (ovviamente altissimo, molto più alto di chi sta chiuso in una silenziosissima biblioteca). Poi c'è chi ha sciolto il classico guscio d'uovo nella Coca-Cola e ha filmato il processo per dimostrare non ricordo più bene che cosa. E chi ha fatto evaporare lentamente la Coca-Cola su una fiammella per vedere quanti grammi di zucchero contiene una lattina (tantissimo, mezzo bicchiere). C'è anche un gruppetto che ha testato sul campo gli effetti di una settimana di dieta McDonald's contro una settimana di dieta vegetariana. I risultati non hanno riservato sorprese, è un piccolo *Super Size Me* in versione scolastica. Dovevate vedere con che pazienza hanno registrato sulle tabelle i cibi ingurgitati e le relative variazioni di peso. Hanno avuto il mio voto.

Un premio per la resistenza contro lo schifo, più che per l'originalità dell'idea.

Al castello del Lord intanto c'è stata una crisi. Il figlio piccolo è stato una settimana a casa con l'influenza e in sua assenza la Lady ha speso un sacco di soldi, mentre il cavaliere ha organizzato la rivolta appoggiato dal vescovo che sobilla il popolo. Quando torna in classe si ritrova con pochissimi punti e con i paesani inferociti. Intanto sono arrivate le cavallette. La mazzata finale alle casse del borgo medievale. Morale: perde gli ultimi punti vita e va sotto zero. "Se il Lord perde tutto deve ripartire da zero. Ora sono un servo della gleba," racconta disperato.

"Be', fai un'altra esperienza," minimizzo. Ma l'ex Lord è incavolato nero: "Mamma, il prof ha detto che in dieci anni non gli era mai capitato che uno si facesse fregare il posto da Lord. Io-sono-il-primo-in-dieci-anni. Capisci?". Se non sono lezioni di vita queste, penso.

Però è difficile vincere il naturale scetticismo. All'inizio non capisci, pensi che tutto si impasterà in un grande nulla globale, un sapere liquido inafferrabile. Eppure il sistema scolastico qui è talmente diverso che fare paragoni con l'Italia è difficile e probabilmente sbagliato. Saranno anche più ignoranti, però vengono accettati nelle migliori università. Hanno curriculum più appetibili (negli ultimi due anni durante l'estate fanno internship e stage su luoghi di lavoro), oltre al non trascurabile fatto che finiscono le secondarie un anno prima e l'università a 21 anni. Sono abituati a ragionare, ad affrontare l'imprevisto e nei colloqui di lavoro hanno una marcia in più. Musica e arte sono considerate materie importanti. E questo spiega anche perché teatri, musei e concerti sono sempre pieni. Le carriere artistiche e i lavori intellettuali sono tenuti in alta considerazione. E sono una valida e ambita alternativa, non certo "stravagante" come verrebbe ritenuta in Italia. Musica, per esempio, è fondamentale per ottenere borse di studio in alcune scuole. Tutti sono incoraggiati a suonare uno strumento. Senza esclusione di rumorosità. Indovinate quale ha scelto il figlio grande? Sì, proprio lei: la batteria. L'altro per fortuna si è accontentato di una più banale chitarra. Si fa tanto *drama*, che sarebbe poi recitazione. Invece che imparare a memoria le poesie, si imparano pezzi di sceneggiature e di Shakespeare o di Oscar Wilde. Tra gli insegnanti ti può capitare qualcuno che ha fatto l'assistente coreografo nei teatri del West End e poi ha optato per una vita più tranquilla o arrotonda con l'insegnamento. In quel caso il ri-

139

sultato finale è quanto di più lontano possiate immaginare rispetto alla tipica terribile recita di fine anno cui siamo abituati.

Gli studenti che escono da queste scuole sono mediamente più ignoranti dei nostri? Probabilmente sì. Ma non importa. Saranno degli ignoranti internazionali, ma a 16 anni sono costretti a capire cosa vorranno fare da grandi. Hanno dei corsi di orientamento alla carriera e vengono indirizzati a scegliere le materie in cui sono più dotati. Impegno principale degli insegnanti è individuare e tirare fuori i cosiddetti *skills*, ossia le capacità degli alunni. Fin dalle medie capiscono che per eccellere bisogna essere migliori degli altri. In certe materie (matematica, per esempio) nello stesso anno accademico hanno tre corsi: base, intermedio e di alto livello. Lo scopo è migliorarsi per salire di livello. Non è una vergogna essere in un livello inferiore, purché tu faccia di tutto per migliorare e tu eccella in un'altra materia. Copiare è un'infamia. E nessuno fa copiare gli altri perché i voti vengono dati in base ai risultati di tutta la classe, quindi per prendere un buon voto devi essere migliore degli altri. È il contrario del 6 politico. La vita sarà così, è bene che lo capiscano subito, senza false illusioni.

Da quando compiono 16 anni l'estate devono inserire nel curriculum un'esperienza lavorativa. Quale che sia, anche raccogliere pomodori in una fattoria o fare i camerieri. Le attività extracurricolari sono parte del curriculum: vengono vagliate con attenzione dalle università e possono essere decisive per offrirti un posto, tra tanti curriculum con voti alti ma anonimi.

Ti insegnano che non puoi stare con le mani in mano, insomma. Che tu faccia uno sport. Che tu abbia un interesse artistico. Che tu suoni in una band. Che tu vada in Africa o in un paese del Terzo mondo come volontario per costruire un ospedale. Queste attività sociali, dette *Community and Service*, si conteggiano nel punteggio finale e sono molto in voga (forse troppo, perché il punteggio snatura un po' il valore dell'esperienza). Comunque rinunciare a un mese di vacanze estive, e trovarsi a 16 o 17 anni a fare servizio sociale in India o in Mozambico, ti fa crescere. E toccare con mano che siamo dei fortunati, che siamo nati dalla parte "giusta" del globo e che questa fortuna non va sprecata. Non so se sia il migliore dei mondi possibili. Di certo so che crea gente più motivata, studenti curiosi e più versatili. E li prepara al motto del Saint Martins: "Be brave and do what you love". "Sii coraggioso e fa' ciò che ami."